ムーン・コズミック・パワー
ムーン・プリズム・パワー
メイクアップ!!!
愛《あい》と正義《せいぎ》のセーラー服《ふく》美少女戦士《びしょうじょせんし》
セーラームーン参上《さんじょう》!!
そしてセーラーちびムーン参上《さんじょう》!!
美少女戦士《びしょうじょせんし》セーラームーン⑧

美《び》少《しょう》女《じょ》戦《せん》士《し》
セーラームーン
⑧
Act《アクト》 25《トウエンテイフアイブ》
無《む》限《げん》2《ツー》 ——波《は》紋《もん》

美《び》少女《しょうじょ》戦《せん》士《し》セーラームーン

前《ぜん》巻《かん》リプレイ

この物語《ものがたり》の主人公《しゅじんこう》

プリンセス・セレニティ

うさぎの前世《ぜんせ》の姿《すがた》

月野《つきの》うさぎ↔セーラームーン

うさぎは，ドジな女《おんな》の子《こ》。セーラームーンに変身《へんしん》して，正義《せいぎ》のために戦《たたか》う!!

うさぎとともに戦《たたか》う美《び》少《しょう》女《じょ》戦《せん》士《し》たち

ちびうさ↔セーラーちびムーン

ルナP《ピー》

火野《ひの》レイ↔セーラーマーズ

水野亜美《みずのあみ》↔セーラーマーキュリー

ルナ　アルテミス　ダイアナ

愛野美奈子《あいのみなこ》↔セーラーヴィーナス

木野《きの》まこと↔セーラージュピター

前世《ぜんせ》からの、うさぎの恋人《こいびと》。
エンディミオン
タキシード仮面《かめん》
地場《ちば》 衛《まもる》
海野《うみの》
浅沼一等《あさぬまいっとう》
クラスメート
なるちゃん
古幡元基《ふるはたもとき》
ゲーセンのお兄《にい》さん
海王《かいおう》みちる
天王《てんおう》はるか
無限学園《むげんがくえん》に在籍《ざいせき》するナゾの2人《ふたり》。
デス・バスターズ
カオリナイト
〈ウイッチーズ5《ファイブ》〉
ミメット
ユージアル
ビリユイ
テルル
シプリン

これまでのお話《はなし》

☆主人公《しゆじんこう》の月野《つきの》うさぎは，ドジで泣《な》き虫《むし》な中学《ちゆうがく》2年生《ねんせい》の女《おんな》の子《こ》。しかし，じつは，正義《せいぎ》のために戦《たたか》う美《び》少女戦士《しようじよせんし》セーラームーンなのです。

☆黒《くろ》ネコのルナや，4人《にん》の美少女《びしようじよ》戦士《せんし》とともに，ダーク・キングダムやブラック・ムーンの野望《やぼう》をなんとか打《う》ちくだきました。

☆平和《へいわ》な日々《ひび》をすごしていたうさぎたちですが，無限洲《むげんず》とよばれ三角洲《さんかくす》周辺《しゆうへん》で，あやしい事件《じけん》がこりはじめ，調査《ちようさ》をはじめます。とくにあやしい三角洲《さんかくす》の中心《ちゆうしん》にる無限学園《むげんがくえん》では，天王《てんおう》はるかと王《おう》みちるに，これ以上近《いじようちか》づくな警告《けいこく》をうけます。そのうえ，ちうさが，怪物《かいぶつ》におそわれるめにあい，事件《じけん》は急展開《きゆうてんかい》!!

グアアァ
あぶない!!
きゃああ
ちびうさ!!
ネオ・クイーン
セレニティよ
わが杖《ロッド》
ハートムーン・
ロッドに力《ちから》を!

ムーン・スパイラル・ハート・アタック!!

ミャウ
ミャウ
——ネコ!?
ネコに怪物《かいぶつ》が
とりついてた!?
……う
はっ
——あなたたちは!?
——だれ!?
しまった!!
——あたしたちは
正義《せいぎ》の戦士《せんし》
セーラームーンと
セーラーちびムーンよ!
ちびうさ!?
だいじょうぶ?
ケガ
しなかった?

……あなたの
ほうが
ケガ
してるわ
サラッ
え?
あつっ……☆
ホントだ☆
スッ
ザワッ
だれ!?
まだ
敵《てき》が!?
ふわ～

スッ

ザアッ
ーーあれは……!?
ーーあの
姿《すがた》はーー

——うさぎ！
見《み》て！ キズが……
消《き》えてる!?
この子《こ》——!?
もどってから ちゃんと 消毒《しょうどく》した ほうが いいわ
きゅっ
——不気味《ぶきみ》よね
ちいさなときから ——こんな ヘンな力《ちから》があるの
セーラームーン！ ちびムーン！
ザッ
——はやく ここから 立《た》ち去《さ》った ほうがいいわ
ここは警備《けいび》が うるさいの 見《み》つかったら めんどうよ
——ありがとう
——ねえ あの
よかったら おしえて？ なまえ

——土萠《ともえ》ほたるよ
——ほたるちゃん
土萠研究所
はあっ
ガクン
ほたるちゃん!?
まあ
どうしたんです!?
また発作《ほっさ》!?

おくで休《やす》んだほうがいいわ
はなして！自分《じぶん》でいけるわ！
どうしたね？ほたる
カオリくんまでそんなところで
教授《きょうじゅ》！
なんでもありませんわ あたくしがちょっと出《で》過《す》ぎたマネをしてしまって
ほたる
ママが死《し》んでからカオリくんにはずいぶん 世話《せわ》になっている
あまりわがままをいってこまらせるのはよくないな

――そうやってパパにとりいってればいいわ
パパの秘書《ひしょ》だか助手《じょしゅ》だか知《し》らないけど
立場《たちば》をわきまえるべきだわ!
うちの家庭《かてい》の中《なか》にまで入《はい》ってこないで!
バタバタ
母親《ははおや》が死《し》んでからあまやかしすぎてしまったようだな
気《き》にしてませんわ　教授《きょうじゅ》
―う
はあ　はあ
……くるしい…

コンコン
カチャ
——ほたる？
どうした？
発作《ほっさ》が
とまらないのか？
パパ——！
薬《くすり》は
飲《の》んだのか？
……飲《の》んだけど
はあ
はあ
……きかないの
時間《じかん》が
たてば
きいてくる
だいじょうぶ
だよ
ひやっ
すっ
ほたる
おまえに これを
あげよう
わが家《や》に
代々《だいだい》伝《つた》わる
アミュレット《おまもり》だよ
死《し》んだママも もっていた
これを
もっていれば
ゆっくり
眠《ねむ》れるよ

また あとで ようすを 見《み》にきて あげよう おやすみ
パターン
……パパ…… あんなに つめたい 手《て》だった?
……ふしぎ……
……発作《ほっさ》が とまった……
——なんだか こわい——……
このごろ あたしの体《からだ》はへん……
まえは こんな 発作《ほっさ》もなかったし こんなに気分《きぶん》が 不安定《ふあんてい》に なることも なかった……
あたしの体《からだ》 いつまで もつのかしら……

クラウンゲームセンター
——信《しん》じられない!
うそじゃないわ!
見《み》まちがえるはずない!
——あの姿《すがた》
セーラー戦士《せんし》とタキシード仮面《かめん》!?
まちがいないわ あの二人《ふたり》——!
軽々《かるがる》と空《そら》をとんでいった——…

──まさか　新《あたら》しい戦士《せんし》!?
まって！
遠《とお》くから見《み》た姿《すがた》だけで確信《かくしん》するのは危険《きけん》だわ！
そうよ！セーラー戦士《せんし》ならなぜ あたしたちのまえから姿《すがた》を消《け》すの!?会《あ》いにきてくれないの!?
──そうだなオレたちから逃《に》げるように姿《すがた》を消《け》すなんて──
──敵《てき》かもしれないってことか

――また
あらわれるかしら
――先祖《せんぞ》返《がえ》りの怪物《かいぶつ》や
無限学園《むげんがくえん》に
かかわりだしてから感《かん》じてた
――見《み》はられているような 視線《しせん》――
まさか あれは
あのセーラー戦士《せんし》と
タキシード仮面《かめん》――!?
敵《てき》にしろ 味方《みかた》にしろ
あらわれるわ きっとまた!
要注意《ようちゅうい》だな
わかってる
そして みんな 要注意人物《ようちゅういじんぶつ》は ほかにもいるわ!

あの無限《むげん》学園《がくえん》の二人《ふたり》も
要《よう》マークよ！
キケンだわ
いつか身《み》を
滅《ほろ》ぼすわよ
ジャマをするなら
オレは
容赦《ようしゃ》しない
あの二人《ふたり》……
なぜ
あんなことを
あたしたちに——
!?
そうね
あの二人《ふたり》——
無限《むげん》学園《がくえん》の正体《しょうたい》も
わかってないし
近《ちか》づかないほうがいいかも
もしかしたら
あいつらも
敵《てき》かも
しれないしな
——敵《てき》？

そんな……
あの人《ひと》が
敵《てき》だなんて……
あの人《ひと》たち……
…ドキン
…ドキン
——まさか
……ね
じゃね
バイバイ
気《き》をつけて
ねえ
ちびうさ
よっぽどでない限《かぎ》り
もう むやみに正体《しょうたい》を
あかしちゃ
ダメよ
あんなふーにさ☆
敵《てき》はどんな姿《すがた》で
まぎれこんでるか
わかんないんだから
しゅん
……ごめん
だって
なんか
あの子《こ》と
友《とも》だちに
なれそうな
気《き》がして

ほたるちゃん
すきとおる
ような
まっしろい肌《はだ》
してたよね
キレイなコ
だったよね
――雪花石膏《せっかせっこう》の
ような 白《しろ》さって
いうんだよ
せっか
せっこう?
雪《ゆき》をかためた
みたいな
キレイな石《いし》の
ことだよ
おとなびた
コだった
――それに
ちびうさのキズを
なおしたあの力《パワー》は……?
クラウン ゲームセンター
カチャ
カチャ
まもちゃん
あの無限洲《むげんず》と
無限学園《むげんがくえん》の
所有者《しょゆうしゃ》は
「土萠創一《ともえそういち》」と
いう人《ひと》よ
ピッ
ピッ
土萠創一
土萠研究所所長
土萠研究所《ともえけんきゅうじょ》
所長《しょちょう》
――土萠創一《ともえそういち》……

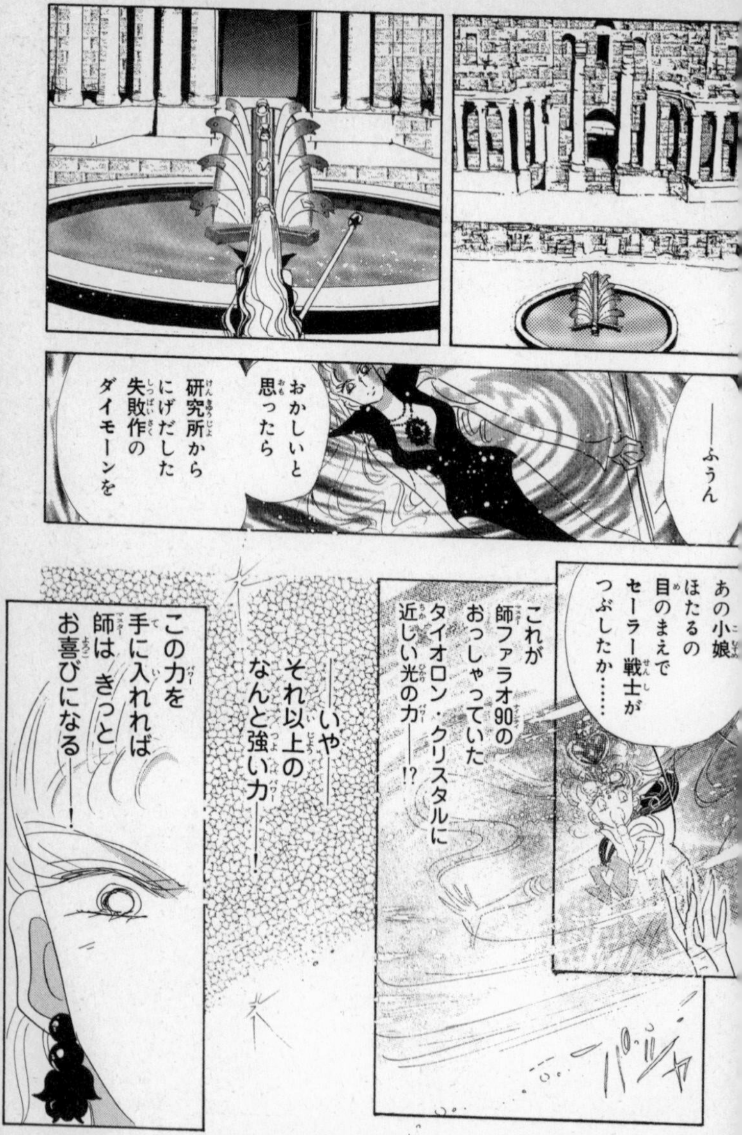
――ふうん
おかしいと思《おも》ったら
研究所《けんきゅうじょ》からにげだした失敗作《しっぱいさく》のダイモーンを
あの小娘《こむすめ》ほたるの目《め》のまえでセーラー戦士《せんし》がつぶしたか……
これが師《マスター》ファラオ90《ナインティ》のおっしゃっていたタイオロン・クリスタルに近《ちか》しい光《ひかり》の力《パワー》――!?
――いや――それ以上《いじょう》のなんと強《つよ》い力《パワー》――!
この力《パワー》を手《て》に入《い》れれば師《マスター》はきっとお喜《よろこ》びになる――!
パシャ

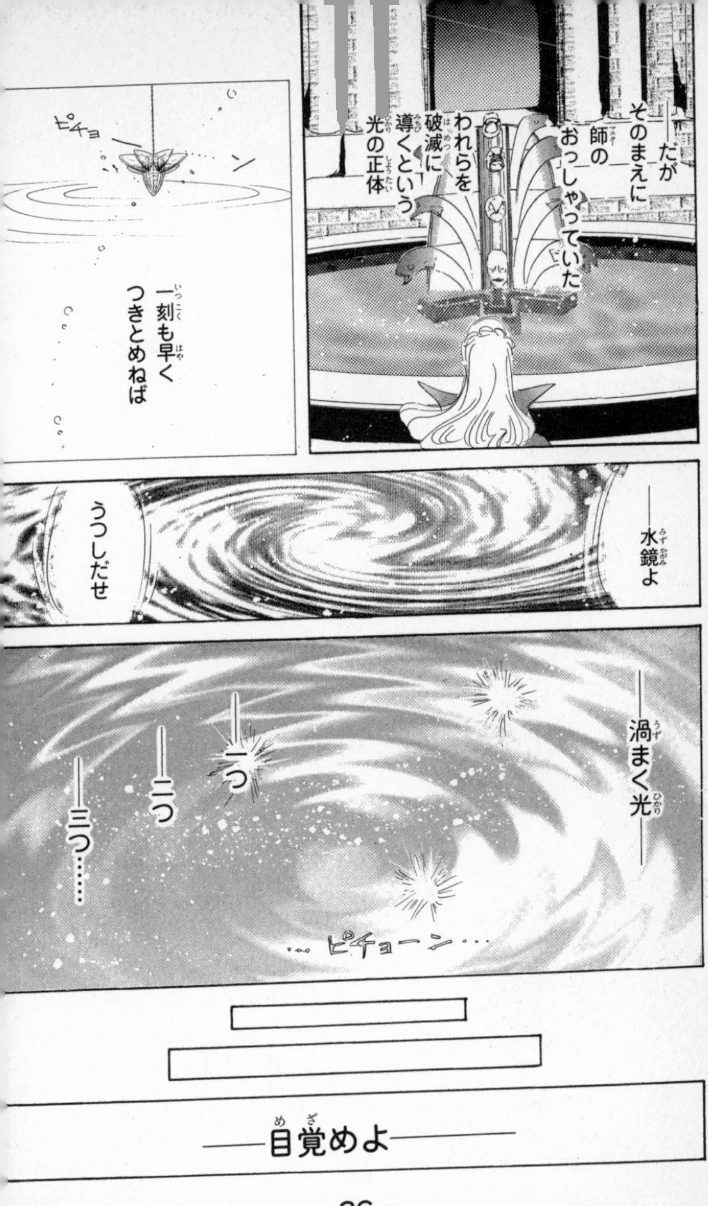
——だが
そのまえに
師《マスター》のおっしゃっていた
われらを
破滅《はめつ》に
導《みちび》くという
光《ひかり》の正体《しょうたい》
ピチョーン
一刻《いっこく》も早《はや》く
つきとめねば
——水鏡《みずかがみ》よ
うつしだせ
——渦《うず》まく光《ひかり》——
——一つ
——二つ
——三つ……
…ピチョーン…
——目覚《めざ》めよ——

──集《あつ》まれ
──3つの魔具《タリスマン》──
その導《みちび》く光《ひかり》
──破滅《はめつ》のはじまりなり──!
はっ
!!
三つの光《ひかり》──?
あとすこしで なにかが 読《よ》みとれそう だったのに
読《よ》みそこなった
だれかが ジャマをした!?

ピピッ
——!
——またこの夢《ゆめ》……
くかー
だれかがべつのだれかにめざめよ——とよびかけている夢《ゆめ》——
——三つのタリスマン?
破滅《はめつ》?
——三つの魔具《タリスマン》?
オレたちに集《あつ》めろといっているのか?
——それとも破滅《はめつ》をよびおこすものならオレたちに手《て》にするなといっているのか?

どうした?
鏡占いを しようと思《おも》ったら ジャマが入《はい》って 鏡《かがみ》が くもったの
でも すぐ ふき消《け》したわ
――みちる
……オレたちの やろうと してることは ムダな ことかも しれない

——なにをしても もう 手《て》おくれかも しれない……
……それを 承知《しょうち》で はじめたことよ はるか
運命《うんめい》の歯車《はぐるま》は まわり出《だ》して しまったの
あらたな 覚醒《かくせい》は やがて すぐくる
三つの 魔具《タリスマン》を そろえるしか ないのよ

本
BOOKS
無限学園
学長
土萠創一教授
無限大学医学部
教授
T大医学部
遺伝子工学
博士号
——土萠《ともえ》
教授《きょうじゅ》か
無限学園
無限学園《むげんがくえん》の
ことを
調《しら》べてるの？
はっ
学園《がくえん》のオーナーの
土萠《ともえ》教授《きょうじゅ》は
とても高名《こうめい》な
教授《きょうじゅ》よ
くすっ
もっとも
ずいぶんと むかしに
学会《がっかい》を
追放《ついほう》されたけれど

追放《ついほう》?
無限学園《むげんがくえん》は一部《いちぶ》ではね
魔法使《まほうつか》い養成学校《ようせいがっこう》とよばれてるのよ
――知《し》ってた?
多芸多才《たげいたさい》な人《ひと》が集《あつ》まってきてるからかしら
それとも……
……くすっ
あの――
バイオリニストの海王《かいおう》みちるさんですか?
ええ
きゃあっ♡
ファンなんです! サインしてくださいっ♡
バイオリニストの海王《かいおう》みちる――
――そしてきみも
多芸多才《たげいたさい》な魔法使《まほうつか》いのひとりってわけ?
そうだわ こんど コンサートがあるの ぜひいらして
チケットさしあげるわ

——あれは……
まもちゃん？
ドキン
——どうして
二人《ふたり》が
いっしょに
いるの？
…ドキン
…ドキン
あの人《ひと》は
要《よう》注《ちゅう》意《い》人《じん》物《ぶつ》だって
いってたのに……
…ドキン
……なに
はなしてるの？
まもちゃん？
…ドキン
——あの人《ひと》……

クラウン ゲームセンター
ワィーン
はあっ
きゃんっ
やっほ♡ おだんご
また会《あ》ったな
よく このゲーセン
くんの？
ドキン
——天王《てんおう》はるかさん……
——にてる
あのときの
マスクの戦《せん》士《し》に……
……ドキン
ドキン
——ねえ
あなた……
もしかして

セーラー
戦士《せんし》？
はあ？
なに それ
セーラー せんし？
ぷっ
ずりっっ
わ〜〜 バカバカ
うさぎのまぬけっっ
そーよ このヒト
オトコなのにっっ
——そーゆー
こと
好《す》きなんだな
「戦士《せんし》」とか
「戦《たたか》う」とか
おまえも
おまえの
友《とも》だちもさ
戦《たたか》いごっこ
でもしてんの？
戦《たたか》いごっこ
なんかじゃ……
うさぎに
近《ちか》づかないで！
ふいっ
——ったく……
しかたねーな
あ……

…ドキン
ドキン
パーラー・クラウン
クラウン フルーツ
へーー
じゃ ちびうさちゃん 新《あたら》しいクラスで 委員長《いいんちょう》なんだーー
そだよっ♡
クラス代表《だいひょう》で 入学式《にゅうがくしき》にも 出《で》ちゃった♡
新入生《しんにゅうせい》の 子《こ》たちね かわいかったあ♡
ちびうさが いいんちょねぇ
カワイイってアンタ
世《よ》も末《すえ》だわっ
なんか わかる気《き》する わ♡
ふてぶてしートコと こなまいきなトコ 生かせるわよねっ

ちびうさも 二年生《ねんせい》
あたしたちも とーとー 中《ちゅう》三かあ
はあーーーーあ
あー ゆーうつだなーー 受験《じゅけん》がーーっ 目《め》のまえだよーんっ
いま 敵《てき》なんか あらわれたら まちがいなく 留年《りゅうねん》だわ アタシッ
まーまー そんな暗《くら》い 話《はなし》はおいといてーっ
ホラ! あしたは 四月《がつ》十七日《にち》! レイちゃんの たんじょーび♡ みんなで お誕生会《たんじょうかい》 しよーよ♡ ね?
アタシケーキ やくからっ♡ うふっ♡
まこちゃんの DIARY
あれっ!?
キョロ キョロ
そいえば レイちゃん はっ!?
ドコ!? ドコ!?
レイちゃんなら きのうから M山《エムさん》で 修行《しゅぎょう》よっ
修行《しゅぎょう》ッ!?☆
十五の誕生日《たんじょうび》は 山《やま》でお清《きよ》め したいんだってさ
ちくしょー アイツ 上《あ》がりで じゅけん ないしーっ くしくし
そんなぁっ せっかく パーティー しよーと オモッてたのにぃっ
ガサ
なあに?
見《み》ろよ ルナ
ーー無限学園《むげんがくえん》 恒例《こうれい》の M山《エムさん》 新入生《しんにゅうせい》 キャンプ?
新入生キャンプ
M山にて
月×日○歳に!

——カオリナイト
ユラッ
まずはウィッチーズ5《ファイブ》このユージアルにおまかせを
…スッ
無限学園《むげんがくえん》哲学《てつがく》クラス礼儀作法担当《れいぎさほうたんとう》——この有村《ありむら》ゆうことして
生徒《せいと》たちに学園《がくえん》の規律《きりつ》を徹底《てってい》指導《しどう》し
そしてわが師《マスター》のために——器《うつわ》と聖体《オスティー》をささげることを誓《ちか》わせますわ

まかせたぞ
ユージアル
!?
水鏡《みずかがみ》に
波紋《はもん》が……
ピチャッ
ユージアルと
同《おな》じ
場所《ばしょ》から
なにかの
思考《しこう》が
入《はい》り
こんで
くる
――目覚《めざ》めよ――
時《とき》は きたれり
――破滅《はめつ》のはじまりなり――

集《あつ》めよ！
——3つの魔具《タリスマン》を！——
カッ
——三つの魔具《タリスマン》!?
——三つの魔具《タリスマン》——
それが われらを
破滅《はめつ》に導《みちび》く
光《ひかり》の正体《しょうたい》か——!?

どこにある——!?
三つの魔具《タリスマン》！
さがしだして
つぶさねば——!!
——破滅《はめつ》とはなに!?
なにが はじまるの!?
三つの魔具《タリスマン》？
それが
こんどの敵《てき》を
破滅《はめつ》に導《みちび》く
キイ・ワードなの!?
レイ
ちゃあ〜〜ん
ぎょ☆
まっ
まこちゃんっ!?
やっと
ついたーーっ☆
はーあっ
あっレイちゃん
だーーっ
みんな!?
ぜーっ
ぜーっ
はーっ
はーっ
もー
死《し》ぬかと思《おも》った……ぜいぜい
山《やま》の頂上《ちょうじょう》
なんだもん
レイちゃん
いつも
こんなとこで
修行《しゅぎょう》してんの!?
はあ
はあ
どーしたの
みんなっ!?

カンパーーイッ
レイちゃん十五歳《さい》のお誕生日《たんじょうび》おめでとーーっ
あたしケーキ焼《や》いてきたの♡どしてもみんなでパーティーしたくってさ♡
あたしはお花《はな》♡レイちゃんの好《す》きなカサブランカよ♡
あたしはねペアカップ♡
ローラアシュレイでキメてみましたっ♡
おじーちゃんとつかってネレイちゃんっ♡
もちろんカレシができたらカレシとっ♡♡
よけーなおセワようさぎっっ
あたしはねレイちゃん♡ゼッタイおススメの問題集《もんだいしゅう》よ
ニッコリ
ホラッ
最高級問題集
あたしたちもとうとう中三《ちゅう》になったことだし二人《ふたり》でがんばりましょうね♡一貫《いっかん》教育《きょーいく》の女子校《じょしこー》でも受験《じゅけん》をナメちゃダメよねっ
…あみちゃ〜ん
みんなのぶんもかっておいたわ♡べんきょー会《かい》しましょ♡
……
しくしーくヤマオクでみたくないわっこんなモノッ
ーもしかしてレイちゃん
知《し》ってた?

無限学園《むげんがくえん》の新入生《しんにゅうせい》の合宿《がっしゅく》このM山《エムさん》のロッジでやってんだよ
――まあね
ホントのところ半分《はんぶん》はちょっとそれに興味《きょうみ》があってここへきたの
なんでひとこといってくんないんだよ!ひとりでくるなんて
――ちょっとねイヤな予感《よかん》がしたのよ
――あたしたちしっかりうさぎを守《まも》らなくちゃいけないわ
あたしたちで未然《みぜん》に防《ふせ》げることなら防《ふせ》がなければ
――うさぎをまきこまずに
そう思《おも》って
――うん

…やあぁ〜っ!!
ダーンッ!!
なっ なにっ!?
むこうの ロッジで 無限学園《むげんがくえん》が 柔道《じゅうどう》のけいこ してるんだわ
やぁ〜っ!!
ダァーン
ひょっ
——なんだよ おまえら☆
——え!?
ドキ
ドキ
っとに よく会《あ》うな かくれてないで でてこいよっ☆
——うそ☆ なんで また…… 会《あ》っちゃうの!?
ドキ

なにしてんの?
こんな山奥《やまおく》で
おまえらも合宿《がっしゅく》してんの?
くすっ
ぐうぜんだなあ
わるいけど!
まっまこちゃんっっ
あたしたちもこの山《やま》で修行《しゅぎょう》してんだよっ☆
修行《しゅぎょう》かぁ
ねえ せっかくだから だれか オレと けいこしない?
joker
きたえてやるよ
柔道《じゅうどう》ってやったことある?
くすっ
~~~やってやろーじゃんっ
まこちゃんっ!?
こんななまっちょろいヤツ……
~~~

え!?
ヒュッ
まこちゃん!?
ひどいっ かよわい女《おんな》のコを ホンキで 投《な》げるなんてっ
——男女差《だんじょさ》 なんて カンケーないよな

——女《おんな》だから 男《おとこ》に 勝《か》てなくて とうぜんって 思《おも》ってんのか?
そんなんで
たいせつな人《ひと》を 守《まも》れるのかな
ぐっ
……くやしい——
女《おんな》だから 負《ま》けたなんて 思《おも》いたくない
——!
そこで なにを してるの!?
はっ

なんでも ないです
べつの学校《がっこう》の 合宿《がっしゅく》に きてた子《こ》たちと 話《はなし》してただけ
スイッ
そう
ん？
…もぞっ
しっ！
レイちゃん!?
こんな真夜中《まよなか》に 集会《しゅうかい》を はじめるみたいよ
…ポラッ
見《み》て ―滝《たき》で 身《み》を 清《きよ》めてるわ

ゴオ
オオ
——では新入生《しんにゅうせい》のオリエンテーションをはじめます
よりよい学園生活《がくえんせいかつ》のためにわが無限学園《むげんがくえん》の教儀《きょうぎ》をいっしょに学《まな》びましょう
ひとつ学園《がくえん》を愛《あい》し学園《がくえん》のためにつくす
——ひとつ学園《がくえん》の指導者《しどうしゃ》にさからってはいけない
——そして

学園《がくえん》の創始者《そうししゃ》
——わが師《マスター》 ファラオ90《ナインティ》に
その身《み》も心《こころ》も
ささげよ
わが師《マスター》
ファラオ90《ナインティ》に
その
身《み》も心《こころ》も
ゴオッ
——炎《ほのお》の中《なか》に……
黒《くろ》い星《ほし》の形《かたち》が……!?
…ポッ
わが師《マスター》の
ために
——われら
存続《そんぞく》のために
優秀《ゆうしゅう》な「器《うつわ》」と
なるよう これから日々《ひび》
鍛練《たんれん》を積《つ》むのだ
そして
すこしずつ

その魂《たましい》と生気《せいき》
――「聖体《オステイ》」を！
ささげていくのだ！
ジュワワワ
ザザッ
だれ!?
あやしい
宴《うたげ》は
そこで おわりよ！

火《ひ》の星《ほし》 火星《かせい》を守護《しゅご》にもつ 戦《たたか》いの戦士《せんし》 セーラーマーズ！ 雷《いかずち》の星《ほし》 木星《もくせい》を 守護《しゅご》にもつ保護《ほご》の戦士《せんし》 セーラージュピター
参《さん》上《じょう》!!
あらわれたね セーラー戦士《せんし》！ レベル78 デス・バスターズ ウィッチーズ5《ファイブ》の このユージアル
あんたたちを 倒《たお》して レベルを 上《あ》げさせてもらう！

デス・バスターズ!?
蛇火炎《マーズ・スネイク・ファイア!!》!!
怪物《かいぶつ》に変身《へんしん》した!?

うさぎちゃん!
うさぎちゃん!
んあ!?
レイちゃんとまこちゃんがいないわ!
ええ!?
うさぎ!
亜美《あみ》!
炎《ほのお》が!!
ゴバアアッ

ムーン・スパイラルハート・アタ——ック！
ぎゃあああ
ザザッ
ボロッ
消《き》えた!?
…フッ
う…ん
…フッ
…フッ

――消《き》えたか
ウィッチーズ5《ファイブ》を名《な》のる資格《しかく》もないわね
炎《ほのお》の武闘家《ぶとうか》ユージアルもかたなしか
ピチャッ
――強《つよ》い!! セーラー戦士《せんし》!!
――デス・バスターズ そう いったわ
デス・バスターズ!!
それがこんどの――敵《てき》!?
ザワッ
はっ
――視線《しせん》
まだ敵《てき》が!?

タッ
――あれは――……!!

Act《アクト》 26《トウエンティシックス》 無限《むげん》3《スリー》　2人《ふたり》——
NEW《ニュー》 SOLDIERS《ソルジャーズ》
美少女戦士《びしょうじょせんし》
セーラームーン

vol.8. Sailormoon's Staff♡
Miss kanap, vep, agnes,
Mikap, kuzechan,
and Miss ono sensei♡
Miss Tachibanasensei,
Miss Ojira♡ and, Yurika♡
and Tamachan♡
and Iwasa sama♡
and Urie-cief♡
and Saito-kun♡ Osidakun.♡
and Osabu♡

Special Thanks♡

うさぎ!!
――なんて はやい!
まるで 風《かぜ》のよう
――追《お》いつけない!
はあっ
見失《みうしな》った――!?
そんな……!

――このあたしに追《お》いついてくるなんて計算外《けいさんがい》だったな
ドクン
――あなたは……
おだんごちゃん
ザッ

あたしたちのジャマをしないで
戦《たたか》いごっこはキケンよ

セーラームーーン!!
——あの人《ひと》は……
まさか……
——セーラー戦士《せんし》!?
ゲームセンター
セーラー戦士《せんし》と!?
コンタクト《接触》
したの!?
それで!?
むこうは
自分《じぶん》の名《な》を
——なんて!?

名《な》のらなかったわ
ほかにはなにか――!?
ジャマをするなって
――それで?
――それだけ
…ドキン
顔《かお》は?見《み》たの?
…ドキン
暗《くら》くてよく……見《み》えなかった
…ドキン
――信《しん》じられないわほんとうにセーラー戦士《せんし》だなんて……!
セーラー戦士《せんし》なら
あたしたちとは別行動《べつこうどう》をとってるってこと!?どういうこと!?
まだ本物《ほんもの》のセーラー戦士《せんし》かどうかわからないわよ

そいつらを
つかまえて
正体《しょうたい》を
つきとめる
までは ね
天才
レーサー
天王はるか
天王《てんおう》
はるか……
天才
レーサー
天王はるか
はるかさん
月野
——にてる
おだんごちゃん
おだんご
……あうっ……
よお
おだんご
え？

——だれ？
!?
あのときのセーラー戦士《せんし》!?
まって！どうして いつも逃《に》げるの!? わけを話《はな》して！
そんな時間《じかん》はないんだ あたしたちには使命《しめい》が
——を
え？

——魔具《タリスマン》を——
…ドク‥ン
集《あつ》めなければ
3つの魔具《タリスマン》を
破《は》滅《めつ》の神《かみ》のために
きゃああああ

いまの夢《ゆめ》は――!?
――タリスマン!?
――いやな夢《ゆめ》……
いやな予感《よかん》がする
――魔具《タリスマン》を集《あつ》めてはいけない――!
ピピッ
チュン チュン
おはよう うさ
おそいぞ
ドキッ
お おはよ
ぱっ

やだな
なんか
顔《かお》が
あげられない…
ドキドキ
海王《かいおう》
みちる!?
海王みちる
リサイタル
バイオリンの夕べ
あの人《ひと》だわ
すごーい☆
バイオリニスト
だったのね
まもちゃん……
……みちるさんが
気《き》になるの?
ドキン
キンコーン…
カンコーン…
めずらしく
追試《ついし》も
そうじもなくて
はやく
おわっちゃった
あたしだけ
物理部《ぶつりぶ》に
カオだしてく
エントロピー
えーごの
ついしが
さきに
ゲーセンいってて
なんか
ひさびさに
ゲームやって
スカッと
したいな
ゲームセンター

あ……
…ドキン
──おまえの友《とも》だちにも近《ちか》づくなって いわれたし もう ここへ くるつもりなかったんだ
クラウンゲームセンタ
でも会《あ》いたくなって
……ドキン
……どうして こんなに ドキドキ するの?
…ドキン
…ドキン
あんな夢《ゆめ》を見《み》たせいだわ

——ヘンなの
この人《ひと》が……
男《おとこ》にも
女《おんな》にも
見《み》える……
オレ まだ 名《な》まえも いって なかったよな
——知《し》ってる 天王《てんおう》 はるかさん
有名人《ゆうめいじん》 だもん
海王みちる ——リサイタル
あなたも みちるさんも
みちるの バイオリンは 一度《ど》きくと やみつきになる
——あいつは 楽器《がっき》と曲《きょく》を 生《い》きものにする 魔法使《まほうつか》いだよ
興味《きょうみ》 あるなら
ききに くる?
MICHIRU

おだんごの名《な》まえ
おしえてよ
……トクン
……月野《つきの》
うさぎ……
―知《し》りたい
この人《ひと》たちのこと
……トクン……
まもちゃんも
そう思《おも》ったの？
知《し》りたい
―この人《ひと》のこと
うさぎ か
カワイイね
―はるかさん!?

ザアッ
——まるで
風《かぜ》みたいな人《ひと》……
——天王《てんおう》はるかさん
クラウン
ゲームセンター
「無限学園《むげんがくえん》
敷地内《しきちない》に
無限記念《むげんきねん》ドーム
ついに完成《かんせい》
日本一《にっぽんいち》の
多目的巨大《たもくてききょだい》ホール」
日本一の多目的ホール!!
「無限学園《むげんがくえん》の
となりには
ホテル・
コンドミニアムも
完成予定《かんせいよてい》
東京湾埋《とうきょうわんう》め立《た》て
プロジェクトは
無限洲《むげんず》を中心《ちゅうしん》に
建設《けんせつ》ラッシュ」だって

ごめーん おそくなって
ウィーン
あー うさぎが やっときた きた♡
いらっしゃい うさぎちゃん
わい わい
無限《むげん》学園《がくえん》の 生徒《せいと》だけしか 入《はい》れないの!? ずるーいっ いきたいのにー
羽生美々
無限学園の生徒のためだけのコンサート
わい わい
海王みちる リサイタル
バイオリンの夕べ
無限《むげん》学園《がくえん》の 生徒《せいと》のためだけの 羽生美々《はにゅうみみ》の コンサートだって!
ちくしょー このコンサート いくために 無限《むげん》に転校《てんこう》 するかっ
いきてーっ
……それしかないわよねっっ
どしたの? 美奈《みな》ちゃん
うさぎ!!
こんどできた 無限《むげん》学園《がくえん》 記念《きねん》ドームの こけらおとしが 羽生《はにゅう》美々《みみ》の コンサートなのよ
こんどのにちよーびっっ!
羽生《はにゅう》美々《みみ》?

んもーっ☆
ドラマやCM《シーエム》に
いっぱいでてる
いまいちばん売《う》れてる
アイドルよ
羽生美々《はにゅうみみ》！
声《こえ》がスゴイ
カワイイの♡
ゼッタイ コンサート
いきたーいっ☆
ったく☆
おっかけでも
あるまいし
ホント
好《す》きだよな
美奈《みな》は
なによっ！
このコンサート
もぐりこめば
偵察《ていさつ》も
できるし
一石二鳥《いっせきにちょう》でしょ!?
そりゃ
そーだっ
美奈《みな》…
てーさつ
なんかー
にのつぎ〜
でしょ☆
となりの
ポスター
見《み》て！
バイオリニストの
海王《かいおう》みちるも
コンサート
やるみたいよ
ウィーン
羽生美々
祝無限学園内
記念ドーム
海王みちる
リサイタル
祝無限学園内
記念ドーム
バイオリンの夕べ
みちるさんの
コンサートも
無限学園記念《むげんがくえんきねん》
ドームなんだ
…ぽろ
……いこうかな
コンサート

え?!
羽生《はにゅう》美々《みみ》のコンサートにっ!?
海王《かいおう》みちるのコンサートよ
チケットあんの?
うん
ちょっと 人《ひと》に もらったの ホラ みんなの分《ぶん》も
あたし みちるさんの バイオリン 好《す》きよ
だいじょうぶかしら
みんなで ようす 見《み》にいくか
MICHIRU KAIOH
MICHIRU KAIOH
チケット 二まい さしあげる だれかと いらして
…ポリポリ
みんなで いけば コワクないっ
海王《かいおう》みちると 羽生《はにゅう》美々《みみ》の コンサートは 同《おな》じ日《ひ》なのね
ふうん
しかも 二人《ふたり》とも 無限《むげん》記念《きねん》ドームの ホールで か
両方《りょうほう》とも あやしいわよ 羽生《はにゅう》美々《みみ》の コンサートも いったほうが いいと思《おも》うわ
でしょ?! でしょ?! ダイアナちゃん いーこと ゆーわっ

―セーラー戦士《せんし》
ああも たやすく ウィッチーズ5《ファイブ》の ユージアルが やられてしまうとは
―手《て》ごわい
―あの 光《ひかり》のおそろしいパワー
タイオロン クリスタルに 近《ちか》しい力《パワー》―
―ほしい!
Mimete
Level
40
Eudial
Level
78
Viluy
Level
202
Tellu
Level
404
Cyprine
Level
999

——だが そのまえに 水鏡《みずかがみ》の占《うらな》いにでた
——破滅《はめつ》に導《みちび》く 三つの魔具《タリスマン》
——それの正体《しょうたい》を つきとめねば
そして 一刻《いっこく》も早《はや》く 手《て》に入《い》れ つぶさねば……
ユラッ
カオリナイト
ユージアルが 失敗《しっぱい》した分《ぶん》を 取《と》り戻《もど》さねば ならぬ
この ウィッチーズ5《ファイブ》 ミメットに
スッ
おまかせを
無限学園《むげんがくえん》 芸能《げいのう》クラス担当《たんとう》
ファンクラブも あるアイドル 羽生美々《はにゅうみみ》として
わたしのこの 天使《てんし》の 歌声《うたごえ》で
「聖体《オスティー》」を 師《マスター》ファラオ90《ナインティ》の ために確実《かくじつ》に 集《あつ》めます

――これは？
わがデス・バスターズへの いけにえをもっともっと 集《あつ》めるために
この 世界的《せかいてき》に有名《ゆうめい》な バイオリニストを使《つか》って 無限学園《むげんがくえん》に人《ひと》を 集《あつ》めるのです
このバイオリニスト あとで「器化《うつわか》」を してもよいかと……
ふむ
師《マスター》 ファラオ90《ナインティ》の「器化《うつわか》」が 完了《かんりょう》するまでは
失敗《しっぱい》は ゆるさぬ
だが けして いそぎすぎ
やりすぎて しくじるな
われらは この オメガ・エリアを なんとしても 第二《だい》の タウ星系《せいけい》に しなければならぬ
セーラー戦士《せんし》は かならず また じゃまをしてくる 心《こころ》して かかれよ

区立 十番小学校
ちびうさちゃーん♡
ムゲン・C《シー》・パーク いったときの 写真《しゃしん》できたよ
わーヘンなカオ☆
たのしかったね♡
ちびうさちゃん あのとき 途中《とちゅう》で 帰《かえ》っちゃうだもん びっくりしたよ
そいえば……
ほたるちゃん どうしてるかな
月野
おせんたく したけど 血《ち》のシミ とれなかったの
ハンカチ かりてたままだ
ガタ
ガタ

あたらしいハンカチ
たしか 遊園地《ゆうえんち》の うら だったっけ
土萠研究所
門《もん》がしまってる…… だれもいないのかな
とつぜんきても 会《あ》えるとは かぎんないよね
ほたるちゃん まだ 学校《がっこう》から 帰《かえ》ってないかも しんないし……
あ!
ほたるちゃん!
!

あのね
ハンカチ
返《かえ》しにきたの
あのときは
ありがとう
ハンカチ
血《ち》がとれなかったから
これ 新《あたら》しい
ハンカチなの
それだけの
ためにわざわざ…
きたの?
まだ
パパも
カオリさんも
研究所《けんきゅうじょ》に
こもってる
時間《じかん》……
研究所
——よければ
どうぞ

ランプがいっぱい……ロマンチックな部屋《へや》だねほたるちゃんの部屋《へや》
服《ふく》も黒《くろ》っぽいのが好《す》きなの？
このまえも黒《くろ》いタイツはいてたね
——うす暗《ぐら》いところが好《す》きなの
——むかし事故《じこ》にあって
キズがたくさんあるのよ
ねえ ほたるちゃんちって研究所《けんきゅうじょ》なの？
なんの研究《けんきゅう》してるの？ すごいね
カシャン
はあ
はあ
ほたるちゃん!?

……いつもの発作《ほっさ》だから……
くすりは……
アミュレットを
え？
つくえの上《うえ》のアミュレットをとって
はあっ
…ぎゅ
もう帰《かえ》って……
あたしなんかに近《ちか》づかないほうがいい……
そのうちにあたしはあたしでなくなるから……
…はあっ
はあ
ほたるちゃん
おろ おろ
しっかりしてだいじょうぶ？
…ゴホッ
はあ
はあ

ぎゅ
パチン
ほたるちゃん
目《め》をとじて
こんどはあたしがたすけてあげる
苦《くる》しさがとまった……
あたたかい……
力《ちから》が わいてくるよう……
……それがあなたのアミュレットなの？
アミュレット？
ふしぎな力《ちから》であなたを守《まも》ってくれるおまもりのことをそうよぶの

——うん これは あたしの たいせつな おまもりよ
でも あたしだけじゃ なくて ほたるちゃんも 守《まも》ってあげられる 力《ちから》だよ
……あたし 名《な》まえも きいて なかったね
あたし 月野《つきの》うさぎ
みんな ちびうさって よぶよ
〝ちびじゃないけどねっ♡
——ちびうさちゃん あたし だれにも いわないわ
ちびうさちゃんの アミュレットの ことも セーラーちびムーンの ことも……
……あやまら なきゃ いけないことが あるの
あなたたちを おそった怪物《かいぶつ》—— あれは たぶん パパの研究所《けんきゅうじょ》から にげだした 実験動物《じっけんどうぶつ》だと思《おも》う

――パパは 変《か》わり者《もの》なの
不気味《ぶきみ》な 研究《けんきゅう》を してるの
――でも おねがい だれにも いわないで
パパが わるいわけじゃ ないの
むかし 事故《じこ》に あったあたしを 救《すく》ってくれたのも ……パパなの
――だれにも いわないって
約束《やくそく》する 二人《ふたり》だけの ヒミツだよね
二人《ふたり》だけの ヒミツ……
アミュレット かあ

まっくらになっちゃった☆
うさぎかまもちゃんにでんわしよっかな
どうやって帰《かえ》ろ……
ちびうさぎちゃん
うさぎちゃんのところへ帰《かえ》るならおくってあげるわ
……だれ!?
うさぎの——友《とも》だち!?

むこうは あたしたちを 知《し》らないかも しれないけど
あたしたちは ——よく 知《し》ってるわ
すご——い！ あたし ヘリコプター なんて はじめて 乗《の》ったよ！
バリバリバリ!!
ちびうさぎ ちゃんは ほたるちゃんと 仲《なか》よしなのね
どんな ハナシ したの？
ナイショ
バリバリ バリ
……
アミュレットの はなし したの
アミュレット？
ふしぎな 力《ちから》で 守《まも》ってくれる おまもりのこと そうよぶんだって
あたしも ほたるちゃんも アミュレットを もってるの
おねーさんは？ そーゆーの もってる？

あたしは この鏡《かがみ》が おまもりかな
じゃあ それが アミュレットよ
…くす
あたしの この手鏡《てかがみ》は そんな かわいらしい ものじゃないわね
これは タリスマンと いうの
タリスマン？
おうちに ついたよ ちびうさちゃん
なあに？
なんの音《おと》？
外《そと》が うるさいわ ねえ

ちびうさぎちゃん
きょう あたしたちに 会《あ》ったことも 話《はな》したことも
ナイショよ
バリバリバリ
なんだ なんだ、☆
ヘリコプターだっ
わい わい
ちびうさ!?

うさぎ!
ほたるちゃんの ところへ いって 送《おく》って もらったの
おねーさんたち うさぎを よく 知《し》ってるって いってたよ
おやすみ おだんごちゃんたち

バリ バリ バリ バリ
——なにを話《はな》したの!?
ほたるちゃんのことしか話《はな》さなかったよ
ホントに?
ホントだよ

──あの二人《ふたり》──!?
いったい……!?
海王みちる リサイタル
バイオリンの夕べ
羽生美々
無限学園の生徒のためだけのコンサート
海王みちる リサイタル
バイオリンの夕べ
海王みちる リサイタル
バイオリンの夕べ
ざわ
ざわ
ざわ
ざわ
海王みちる リサイタル
ヘリコプターでおくってくれたおねーさんだわ
まちがいない!
バイオリニストだったんだ

ちびうさ
はあーい
あれ？
ちびうさ!? まもちゃん!?
あー！ みんなも きてたの？
まもちゃん……！
よお
ちびうさと コンサート くるなんて ひとことも……
みちるさんに チケット2まい もらって……
誘《さそ》おうと思《おも》ったら うさもチケット もってるって
「みちる」さん
「うさ」
ぴくっ
なに むくれてんの？
べつにっ
はじまるわ
わあぁぁ
パチパチ
パチ

──渦《うず》まく海流《かいりゅう》
うちよせては
きえる波《なみ》
──まるで
海《うみ》の底《そこ》に
いるみたい……
すばらしいわね
海王《かいおう》みちるの演奏《えんそう》
彼女《かのじょ》がもつ
あの「海《うみ》の聖堂《せいどう》──
マリン・カテドラル」
という名《な》の
ストラディバリ
五億円《おくえん》近《ちか》いそうよ
──はるかさん
あんな
すみっこで……

わんわん
やっぱ これは うさぎを 見習《みなら》って 奥《おく》の手《て》で 入《はい》りこむっきゃ ないでショー
V《ブイ》ちゃん時代《じだい》の コンパクトで♡
さっ
ムーン パワー!
無限学園《むげんがくえん》の 男子生徒《だんしせいと》に へんしーんっ♡
へっへっへー 成功成功《せいこうせいこう》♡
きゃあああ
美々《みみ》ダーッッ
ぎゃーっ
んーやっぱ きて よかったーっ♡
ありがとう! きょうは あたしの たいせつな学園《がくえん》の みんなのために歌《うた》えて
美々《みみ》! しあわせです!
わあああああ

あたしは
この無限学園《むげんがくえん》も
みんなも
大好《だいす》き
学園《がくえん》のためなら
なんでもできるわ
この身《み》を
ささげることも
みんなも
そうでしょ？
わああ
──さあ
みんな
目《め》をとじて
──リラックス
して
あたしが
みんなのために
つくった
この曲《きょく》を
静《しず》かに　きいて
──なに!?
きゅうに眠《ねむ》けが…
体《からだ》が動《うご》かない……!
あたしと
わが師《マスター》
ファラオ90《ナインティ》に
その身《み》も心《こころ》も
──魂《たましい》も
ささげて
フラッ
クソッ…!

羽《は》生《にゅう》美々《みみ》!
敵《てき》だわ!
どこへいく!?
ちょっとトイレに……
コンサートの途中《とちゅう》で席《せき》を立《た》つことはゆるさん!
ヴィーナスプラネット・パワーメイクアップ!

愛《あい》らしい虚像《きょぞう》と
美声《びせい》のウラは
醜《みにく》い悪《あく》の
権化《ごんげ》よ!
みんな!
だまされちゃダメ!
だれ!?
美《び》の星《ほし》
金星《きんせい》を守護《しゅご》にもつ
愛《あい》の戦士《せんし》
セーラーヴィーナス
参上《さんじょう》!

ス
ラ
!?
——え!?
どうしたんだ!? もう おわり?
パッ
パッ
ざわ ざわ
みちるさん ひっこんじゃった
ようすが ヘンだわ
ピピ
ヴィーナス!?
うさぎ!
アイドル 羽生《はにゅう》美々《みみ》は 敵《てき》よ!! きて!

みんな！目《め》をさまして！いまならまだまにあうわ！
ヴィーナスラブ・ミーチェーーンッッ！
は
はっ
フッ
外《そと》へ避難《ひなん》するのよ早《はや》く！
きゃあああぁ
わーわー
わあああ
わー

セーラーヴィーナス！
レベル40！ このあたし
ミメットが相手《あいて》よ！
チャーム・バスターーッ！
ヴィーナス・ウインク・チェーン
ソード!!
きゃあああ
ヴィーナス！
みんな！

くっ!!
カオリナイト! わたしに力《ちから》を ダイモーンの 加勢《かせい》を!
なさけない ヤツめ
貴重《きちょう》な「卵《たまご》」を うえつけた 「器《うつわ》」ども——
「器化《うつわか》」に成功《せいこう》し わが同胞《どうほう》と なるには 時間《じかん》をかけねば ならぬものを
ちっ
残念《ざんねん》だが 失敗作《しっぱいさく》の ダイモーンと なってもらうか!
めざめよ! ダイモーン・パワー——
……ぐ
グウ……
ボコ
グウウ…
!?

食《く》い殺《ころ》しておしまい！ダイモーンたちよ！
ザァッッッ
ムーン・スパイラルハートアターッック!!

フラッ
ドサッ
フッ
グルルル‥
グアッ!!
タキシード仮面《かめん》！セーラーちびムーン!!

深水没《ディープ・サブマージ》!!

おのれ!
天界震《ワールド・シェイキング》!!

——だれ!?
——海《うみ》の星《ほし》海王星《かいおうせい》を主護《しゅご》にもつ深海《しんかい》の戦士《せんし》

——セーラーネプチューン
そして

——風《かぜ》の星《ほし》天王星《てんのうせい》を守護《しゅご》にもつ天空《てんくう》の戦士《せんし》
セーラーウラヌス
参上《さんじょう》！

――セーラーネプチューン
セーラーウラヌス――!?
Act《アクト》 27《トウエンティセブン》 無限《むげん》4《フォー》
セーラーウラヌス――天王《てんおう》はるか
セーラーネプチューン――海王《かいおう》みちる
美少女戦士《びしょうじょせんし》
セーラームーン

――セーラーネプチューン!
セーラーウラヌス!
――うそ どういうこと!?
新《あたら》しい戦士《せんし》なの!?
知《し》らないわ

知《し》る必要《ひつよう》は
ない
——二人《ふたり》から
なにも感《かん》じとれない
なんのデータも……!
はっ
これは
タリスマンと
いうの
あの手《て》鏡《かがみ》は……
——タリスマン……!

タリスマン!?
——あの手鏡《てかがみ》がタリスマンなのか!?ちびうさ!?
はっ
また会《あ》ったわねちびうさぎちゃん
セーラーネプチューン!ヘリコプターにのせてくれたみちるおねーさん!?
あの手鏡《てかがみ》がタリスマン!?
——タリスマンを集《あつ》めよという不吉《ふきつ》な夢《ゆめ》を見《み》せていたのは
まさかあなたたち——?どういうことなの?いったい……
夢《ゆめ》?
——そうあなたたちも感《かん》じとっているのね不幸《ふこう》の予感《よかん》を破滅《はめつ》の危機《きき》を

なにか知《し》ってるのなら おしえて!
……いったい これから なにがおこるの!?
カンチがい しないで
おまえたちと いっしょに 戦《たたか》うつもりは
ない
仲間《なかま》じゃ
……ないの?
仲間《なかま》だと いった覚《おぼ》えは
ない
まって!
あなたたちだって デス・バスターズを 追《お》っているんでしょ!? やつらの目的《もくてき》は!? なんなの!?
うう…ん
話《はな》す ことなど ないわ

――海王《かいおう》みちる!!
うう……!
アタマが…
われる……!
タリスマンをもつ この二人《ふたり》の戦士《せんし》……!
まさか この二人《ふたり》が わたしたちに 破滅《はめつ》を――!?
……!!
まて!
きみたちが…… オレたちを 破滅《はめつ》に…… 導《みちび》くのか?
答《こた》えろ!
スッ

天界震《ワールド・シェイキング》！
——セーラー戦士《せんし》が……
攻撃《こうげき》するなんて……!!

はっ
――うさぎちゃん
――ルナ……!
――話していいのかどうかわからないけど
――あの二人《ふたり》は
本来《ほんらい》ならこんなところにいるはずのない戦士《せんし》よ

――プルートの ように 同《おな》じ セーラー戦士《せんし》でも 役目《やくめ》も管轄《かんかつ》も ちがう 遠《とお》いところに いるはずの 出会《であ》うことのない戦士《せんし》……
――プルートの ほかにも まだそんな戦士《せんし》が……!?
遠《とお》く彼方《かなた》で シルバー・ミレニアムを 守《まも》りつづけているという ナゾに つつまれた 伝説《でんせつ》の戦士《せんし》――
まさか ほんとうに 存在《そんざい》してたなんて
まさか 転生《てんせい》 してたなんて 姿《すがた》を あらわすなんて
なにか 非常事態《ひじょうじたい》が おこってるんじゃ……
非常事態《ひじょうじたい》……
――デス・バスターズの 侵略《しんりゃく》のこと? それとも ほかに なにか――!?
それにしたって あたしたちを 攻撃《こうげき》 するなんて……

あの二人は ——敵《てき》じゃ ないよね
仲間《なかま》の 戦士《せんし》だよね
理由《りゆう》も話《はな》さず あたしたちを 攻撃《こうげき》する それは
敵《てき》と同《おな》じよ
これが あいさつがわりって ヤツか
どんな事情が あろうと
仲間じゃないって はっきり いったわ
また あたしたちを攻撃《こうげき》 してくるようなら
——戦《たたか》うしか ないよね 二人《ふたり》と
仲間《なかま》だと いった覚《おぼ》えは ない
まもちゃん
あの おねーさんたちね あたしを おくってくれたよ
あたしたちと 戦《たたか》おうだなんて 思《おも》ってないよ ゼッタイ

……あうっ
あの二人《ふたり》の目的《もくてき》は？
いったい……!?
――津波《つなみ》!?
――これは……!?
なにがおこったんだ!?

―だれだ?―
――おまえが
――破滅《はめつ》の神《かみ》 なのか?

はっ
はっ
ぎゅ
——夢《ゆめ》!?
——まもちゃん あたしたち いま 同《おな》じ夢《ゆめ》を……!?
いまの夢《ゆめ》は……?
——破滅《はめつ》の神《かみ》……?
火川神社
ゴオッ…
——タリスマン セーラーネプチューンの もつ鏡《かがみ》——!
破滅《はめつ》を もたらす 三つの魔具《タリスマン》——
——あと二つは いったい どこに?

キンコーン
カンコーン
一ノ橋公園
まもちゃん おそいな
…雨《あめ》が ふりそう
…いやな 天気《てんき》……
――あれから 姿《すがた》を 見《み》せない……
セーラーウラヌス ネプチューン――
まもちゃん？

もう オレの帰《かえ》り道《みち》で ウロチョロ すんなよな
とって くっちまうぞ
まって——!

セーラーウラヌス！
はるかさんが
―ウラヌスでしょ？
同《おな》じ風《かぜ》のニオイがするもん
あたしたち仲間《なかま》でしょ？同《おな》じ セーラー戦士《せんし》でしょ？
どうして なにも話《はな》して くれないの？
……できれば
なにも知《し》らないままのこの姿《すがた》で会《あ》っていたかった

うさぎと
はるかさん……
……はるかさんは
男《おとこ》なの？
それとも
女《おんな》なの？
ドキン
ドキン
男《おとこ》とか
女《おんな》とか
コツン☆
そんなに
たいせつな
コト？

うさ！
王子《おうじ》さま登場《とうじょう》だ
…ぽろっ
——うさ
どうしたんだ？なにかされたのか？あいつに
ううん
そうじゃない……そうじゃないの
……どうしてナミダがでるんだろう
……苦《くる》しいよ…
ぎゅ

クラウン
ゲームセンター
こんにちはー まもちゃん いるっ？
やっほ♡ ちびうさちゃん きょうは きてないよ
委員長《いいんちょう》のクセに「まもちゃん」「まもちゃん」ばっか いってっと クラスのみんなに バカにされっぞ ちびうさ
なんだー せっかく宿題《しゅくだい》 てつだって もらおと おもったのにー
まこちゃんの いじわるーっ☆
宿題《しゅくだい》？
ぷう
図工《ずこう》でね 粘土《ねんど》で 好《す》きなもの つくるん だったの
うまくできなくて 宿題《しゅくだい》に なっちゃった☆
ナニ ナニ？
コレ？ コーヒー カップ？
ちがうよ！
コレはね「伝説《でんせつ》の聖杯《せいはい》」なの
「伝説《でんせつ》の聖杯《せいはい》」？ ナニそれ

ネオ・クイーンセレニティが若《わか》いころおもちになっていたという聖杯《せいはい》のことです
——危機《きき》が 訪《おとず》れるとふしぎな力《ちから》がその聖杯《せいはい》からわきいで
ネオ・クイーンセレニティに力《ちから》をあたえ
人《ひと》びとを救《すく》ったという
あのねママの部屋《へや》で絵《え》を見《み》たことがあるんだ
それは 宝石《ほうせき》がいっぱいついててキラキラしててあたしも あーゆーのほしいなってずっと思《おも》ってたの
ママってセーラームーンがもってたもの?
武器《ぶき》かなんかに使《つか》ってたの?
知《し》らない
ママの部屋《へや》ってホントは入《はい》っちゃいけなかったからだれにもきーたことなかったし
あたしも ルナとアルテミスにちょっときいただけです

――ママの部屋《へや》って 大《おお》きな絵《え》や 本《ほん》や宝石《ほうせき》や
めずらしいものが いっぱいあったの
ママのまっしろの ベッドは ふかふかで そこにねころんで いろんなもの ながめたっけ
よく 二人《ふたり》で 入《はい》りこんだよね ダイアナ
ポロッ
ごしごしっ
帰《かえ》りたい?
ううん
りっぱな 戦士《せんし》に なるまで 帰《かえ》らないって 約束《やくそく》したの ママに

まもちゃん
もう帰《かえ》ってる
かもしんない
まもちゃんち
いってみるね
サァァ…
コーヒーで
いいい？
うん
しいい～～～んん
……まもちゃん
どう思《おも》ったかな
あたしが
はるかさんと
いっしょにいて
おこってる？
でもでも
しかたなかったんだよ
だって はるかさんは
セーラーウラヌスで……
あははは
まもちゃんっ
あのっ
ねっ

バタン
まーもちゃんっ♡
おげんかんあいてたから入《はい》ってきちゃったっっっ♡
ぶっ
しーーーーーん
……ケンカでもしたの?
うさぎのおヒザにのってるのっ
ちっちがうわよっ
でもまもちゃんなんかおこってない?
ややっぱし?
ヒソ
ヒソ
ヒソ
まもちゃんがおこるよーなことしたんでしょうさぎ
えっ?
ヒソッ
たとえばうわきとかさ
グサッ
うわき……
うわきってゆーのかな
こーゆーの……

ちびうさ なんか 用《よう》あって きたんじゃ ないのか?
あのね 宿題《しゅくだい》 てつだって ほしくて
宿題《しゅくだい》ッッ!! やばいっっ 英語《えいご》の 問題集《もんだいしゅう》!!
アタシは これでも 受験生《じゅけんせい》ッ
わすれてたっっ
あたし さき 帰《かえ》るね トホホ
がし
帰《かえ》っちゃ ダメ!
うさぎも いっしょに てつだって! ね?
?!

で？
なにを粘土《ねんど》でつくるつもりでいたんだ!?
聖杯《せいはい》！
聖杯《せいはい》？
またどこでそんなこむずかしいモノを……
「伝説《でんせつ》の聖杯《せいはい》」をつくるの！きめたの！
伝説《でんせつ》の聖杯《せいはい》？
キラキラ
うるうる
せーはいつくって♡おねがいまもちゃんっ
せーはいっ
よわい
…コイツ
聖杯《せいはい》っていったいなあに？
なにするもの？
神聖《しんせい》な儀式《ぎしき》のときに
ワインや聖水《せいすい》を入《い》れてそれで体《からだ》をきよめたり力《ちから》をさずけたりする特別《とくべつ》なさかずきだよ

ふーんっ
そーゆーモノがあるんだあっ
たしか百科事典《ひゃっかじてん》に
あ！コレ！こーゆーのつくりたいの！
The trial is expected to
聖杯
そいで宝石《ほうせき》いっぱいつけたいの！
へーコレが聖杯《せいはい》ってヤツかあ
ボタンやさんにうってるビーズやカラーストーンいっぱいつければ？
うさぎナーイスッ♡
だからってどーしてあたしがっっ
ありがとーございましたー
各種ボタン
布あり
くすん
ただいまーアイスもかってきたよー♡
くすっ
ごねごね
わーー♡ちびうさ！見《み》て見《み》てカワイーーッ♡
ホラ！聖杯《せいはい》がやっとできたぞ！

ちびうさ……
くーっ
…くすっ

…まもちゃん……ごめんね
はるかさんとあんなふうにいっしょにいて……
オレはうさを信《しん》じてるよ
あたしまもちゃんとみちるさんがいっしょにいたとき
すごくしっとしちゃった
バカみたいだよねあれくらいのことで
——オレだって

いっぱい やいてるよ やきもち…
あいつに
でも なんか きっとワケが あるんだよな
いつも おまえに なにか いいたげな カオをしてるよ あいつ
とても苦《くる》しい ワケが あるんだと思《おも》う あの二人《ふたり》には
そう そうだよね まもちゃん
そうなの ——あのとき はるかさんの 苦《くる》しさが せつなさが伝《つた》わってきて
思《おも》わず ナミダが でたの

ちびうさを
おこさなきゃ
いいよ
え？
とまってけば
いいよ
もぞっ
仲《なか》なおり
したみたいだね
うん
ホントね

サァー
学力試
位発
1 水野亜美 500
2 斎藤ゆりか 487
3 山田かよ 39
スゲー 水野亜美《みずのあみ》 また満点《まんてん》で 一位《い》だぜ
雨《あめ》が多《おお》くて ゆううつね この季節《きせつ》は
ホーント 中間《ちゅうかん》・学力《がくりょく》・期末《きまつ》! テストばっかで ゆーうつだよ〜〜ん
ラッラッ
33
テストが多《おお》くて あたりまえ! あたしたち 受験生《じゅけんせい》よ!
そーでした
ずーん
ね いっしょに 新《あたら》しくできた 予備校《よびこう》 いかない?
亜美《あみ》ちゃん そんなとこ いく必要《ひつよう》 ないじゃない〜
ホント スキなんだから もーっっ
もしかして
無限予備校《むげんよびこう》?
亜美《あみ》ちゃん ここのテストだけは いつも うけてるよな
最高水準問題集
無限予備校・編
まあね

予備校《よびこう》の生徒《せいと》で
いつも 必《かなら》ず一位《い》を
とる人《ひと》がいるの
全国公間模試
1 美堂ゆい
2 水野亜美
どうしても 追《お》いぬけないのよ
無限学園《むげんがくえん》の
生徒《せいと》の「美堂《びどう》ゆい」
会《あ》って みたいわ
サァァァ
無限予備校
入学試験《にゅうがくしけん》
満点《まんてん》なんて
だれかと思《おも》ったら
あの天才少女《てんさいしょうじょ》の
水野亜美《みずのあみ》さんね
うちの予備校《よびこう》へ
通《かよ》いたいなんて
光栄《こうえい》だわ
カリ カリ カリ
すごい熱気《ねっき》――
テストで
二十位以内《いいない》は
無限学園《むげんがくえん》へ
学費免除《がくひめんじょ》で
入学《にゅうがく》できるの
だから みんな
必死《ひっし》なのよ
スッ
はじめまして
水野亜美《みずのあみ》さん
あたしは
美堂《びどう》ゆい
この予備校《よびこう》の
天才少女《てんさいしょうじょ》と
いうところかしら
ザァァァ
無限予備校《むげんよびこう》も
もちろんいいけど
やっぱり
わが学園《がくえん》の
システムには
かなわないわね

ねえ！水野《みずの》さんあなたも無限学園《むげんがくえん》へこない？
自分《じぶん》の苦手《にがて》な科目《かもく》を好《す》きなだけ選択《せんたく》でき集中的《しゅうちゅうてき》に克服《こくふく》できる
他校《たこう》でマネのできないカリキュラム
完璧《かんぺき》な環境《かんきょう》
水野《みずの》さんわが学園《がくえん》へ
体験入学《たいけんにゅうがく》してみない？
クラウンゲームセンター
無限学園《むげんがくえん》へ体験入学《たいけんにゅうがく》!?
敵《てき》のワナよ！
だいじょうぶそんなカンタンにつかまりはしないわ
亜美《あみ》ちゃん
こないだうさぎちゃんが見《み》てこれなかったぶんさぐってくる
なにかあったら連絡《れんらく》入《い》れるから
OK《オーケー》？
――わかったわ

……いやな 雨雲《あまぐも》
……ゴロゴロ
まるで このビルから わきでてる みたい……
体験入学生《たいけんにゅうがくせい》の 水野亜美《みずのあみ》さんですね
中等部《ちゅうとうぶ》 十三階《かい》 三年《ねん》 サイエンスクラスへどうぞ
チーン
3年 サイエンスクラス
ガラッ
ドキッ

おまちして いたわ 水野《みずの》さん
——これは…?
キレイでしょう? これは 箱庭《はこにわ》宇宙《うちゅう》
わが サイエンスクラスが 実験《じっけん》で つくったものなの
タウ星系《せいけい》よ
はっ
水野《みずの》さん?

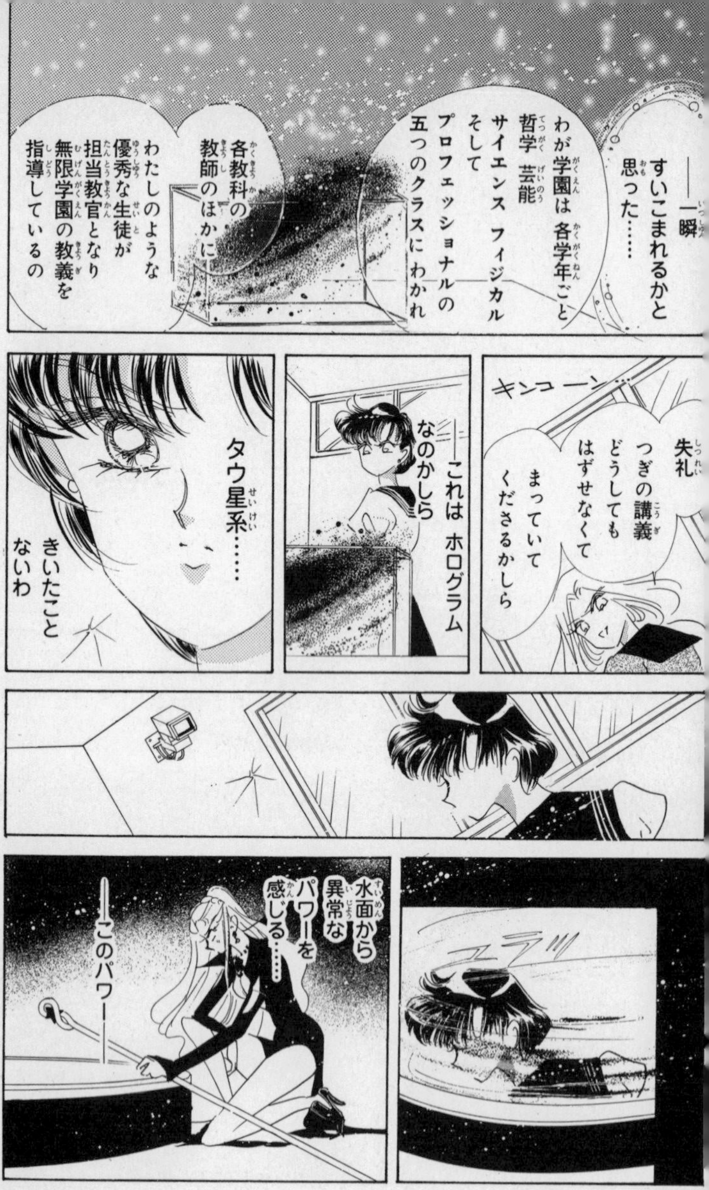
——一瞬《いっしゅん》 すいこまれるかと 思《おも》った……
わが学園《がくえん》は 各学年《かくがくねん》ごと 哲学《てつがく》 芸能《げいのう》 サイエンス フィジカル そして プロフェッショナルの 五つのクラスに わかれ
各教科《かくきょうか》の 教師《きょうし》のほかに
わたしのような 優秀《ゆうしゅう》な生徒《せいと》が 担当教官《たんとうきょうかん》となり 無限学園《むげんがくえん》の教義《きょうぎ》を 指導《しどう》しているの
キンコーン
失礼《しつれい》 つぎの講義《こうぎ》 どうしても はずせなくて
まっていて くださるかしら
——これは ホログラム なのかしら
タウ星系《せいけい》……
きいたこと ないわ
ユラ
水面《すいめん》から 異常《いじょう》な パワーを 感《かん》じる……
——このパワー——

まさか—— 星《ほし》の守護《しゅご》を もつもの ——セーラー戦士《せんし》!?
単身《たんしん》 のりこんで きたのか
カオリナイト
サイエンス・クラス 担当《たんとう》 美堂《びどう》ゆい
——この ビリユイに おまかせを
カチャ
レベル40の ミメット
カチャ
レベル78の ユージアルでは 戦《たたか》うまえから 負《ま》けはあきらか
カチャ
レベル202 このビリユイの システムで セーラー戦士《せんし》の 「聖体《オステイー》」を 手《て》に入《い》れて みせましょう
きっと 師《マスター》に およろこび いただけますわ
カチ
セーラー戦士《せんし》の 「聖体《オステイー》」—— さぞかし強《つよ》い エネルギーで あろうな
!?

地下
実験室
立入禁止
はるか!
カンカンカンカン
立入禁止
ガチャ
動物《どうぶつ》実験室《じっけんしつ》!?
キーキー
おくにも ドアが!?
DANGER!
DANGER《デンジャー》!?
危険《きけん》!?

あれは…
まさか
あたしたちを
おそってきた
怪物《かいぶつ》!?
やっぱり
ここは
敵《てき》の——!?
授業《じゅぎょう》に
入《はい》りましょうか
水野《みずの》さん
しまった!!
ガツッ
!!
その授業《じゅぎょう》で
あなたの
「聖体《オスティー》」をいただき
「器化《うつわか》」を
しましょう
なに!?
なんのことを
いってるの?
その
「器化《うつわか》」
とやら
オレたちも
とても
キョーミが
あるな

はるかさん みちるさん!?
とらえよ! 三人《にん》とも わたしの クラスへ!
3年 サイエンスクラス
ちょうど 演算《えんざん》が はじまったところよ
わたしの プログラム中《ちゅう》の ナノ・ロボットが 人体《じんたい》から「聖体《オステイー》」を どんどん とりこんでゆくの
わたしの システムを 通《とお》して
わが師《マスター》 ファラオ90《ナインティ》に 「聖体《オステイー》」を ささげ
のこった空《から》の体《からだ》を わが同胞《どうほう》に 「器《うつわ》」として ささげる!
なんと 光栄《こうえい》なこと!

うさぎ！
みんな！
あみちゃん!?
無限《むげん》学園《がくえん》は
やっぱり
敵《てき》！
デス・バスターズが
あやつってるわ！
ばかな！
ここは
十三階《かい》だぞ！
マーキュリー
プラネット・
パワー――
メイク
アップ!!

!!
にがすな
追《お》え!!
なにを
大《おお》さわぎ
しているの!?
学長《がくちょう》!
たいせつな
「器《うつわ》」を
にがすことは
ゆるさぬ!
セーラー戦士《せんし》
ともども
かならず!
とらえよ!
はっ!
もう 学園《がくえん》には
いられないな
そうね
どこだ!?
セーラー戦士《せんし》を
さがせ!

よけいなことをしてくれたな
天才少女《てんさいしょうじょ》の正体《しょうたい》はおまえかセーラーマーキュリー!
レベル202このビリユイが相手《あいて》だ!
水《みず》の星《ほし》 水星《すいせい》を守護《しゅご》にもつ知《ち》の戦士《せんし》
セーラーマーキュリー
参上《さんじょう》!
マーキュリーアクアミラージュ!!

モザイクバスターー!!
!?
カラダになにかが!?
うふふ 痛《いた》いかい? このビリユイのプログラムから抽出《ちゅうしゅつ》した目《め》に見《み》えないナノ・マシンがおまえのカラダにくいこみ 分解《ぶんかい》しようとしてるのさ
あとにのこるはおまえの美《うつく》しい魂《たましい》「聖体《オスティー》」だけ!
カラダが動《うご》かない……!
いや……っ!
さあ わが師《マスター》に! セーラー戦士《せんし》の その強《つよ》く美《うつく》しい「聖体《オスティー》」をささげるのよ! あはははっ

マーキュリー!
ダイモーン!
ゆけ!
ネオ・クイーン
セレニティよ
わが杖《ロッド》
ハートムーン
ロッドに力《ちから》を!!

——はるかさん!?
みちるさん!?
ウラヌス プラネット・パワー
ネプチューン・プラネット・パワー
メイク・アップ!!
セーラー ウラヌス!? ネプチューン!?

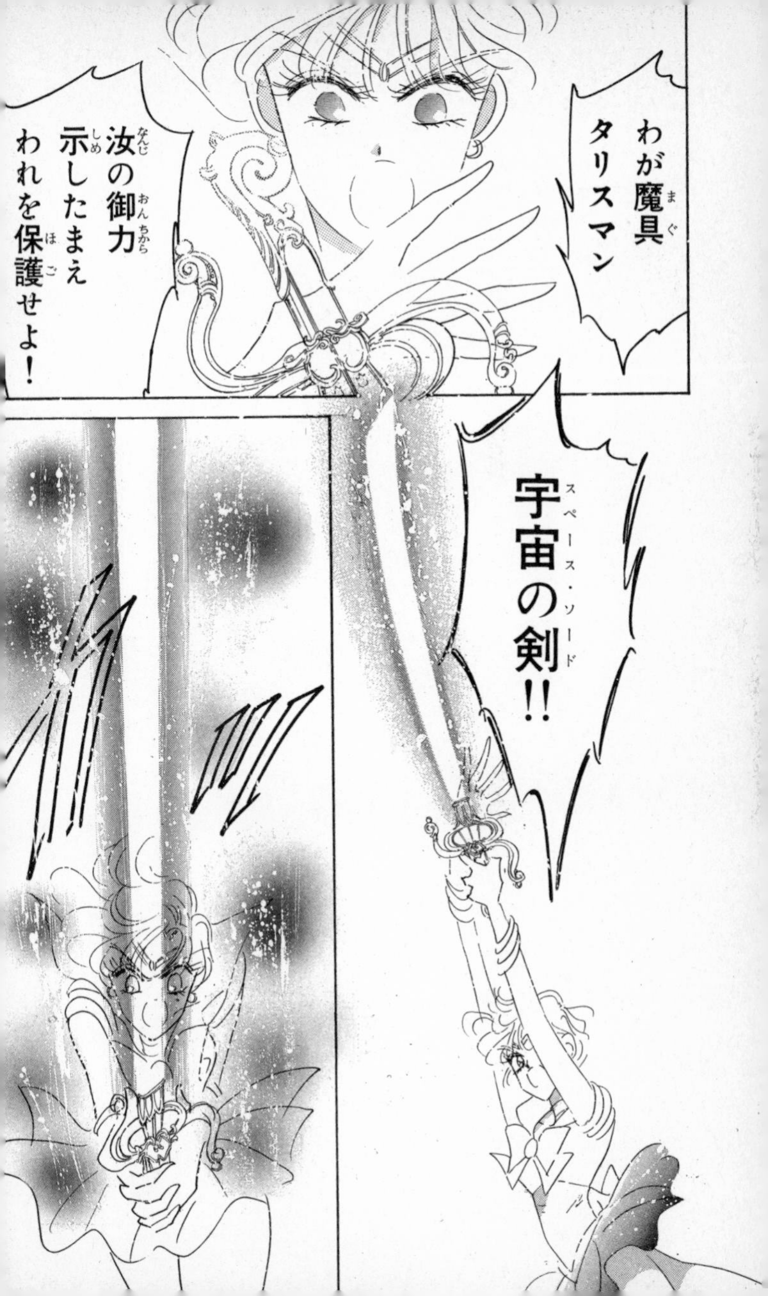
わが魔具《まぐ》タリスマン
汝《なんじ》の御力《おんちから》示《しめ》したまえ われを保護《ほご》せよ！
宇宙の剣《スペース・ソード》!!

マーキュリー!!
う……!
セーラーウラヌスの宇宙の剣《スペース・ソード》!?
——あれが——二つめの魔具《タリスマン》!?

まって!
ウラヌス! ネプチューン!
——助《たす》けて くれたの? あたしたちを……
ウラヌス! ネプチューン——!
KO大学
理学部
レイカさーん きょう みんなで 飲《の》みにいこうって いってるんだけど

ごめーん 古幡《ふるはた》くん きょう 鉱物研《こうぶつけん》 あるの
そっかあ
がっくし
ははっ
あら となりの オンボロ研究室《けんきゅうしつ》 だれかがつかうのね
助手《じょしゅ》さん ですか？
いえ 学生《がくせい》です 理学部《りがくぶ》の
こちらの 研究室《けんきゅうしつ》の おてつだいを させていただく ことになって
あたしも 理学部《りがくぶ》よ
となりで ときどき 鉱物研《こうぶつけん》 やってるの
二年《ねん》の 西村《にしむら》レイカ よろしくね
理学部《りがくぶ》一年《ねん》 基礎物理学科《きそぶつりがっか》 理論物理学専攻《りろんぶつりがくせんこう》
冥王《めいおう》せつなです よろしく

Act《アクト》 28《トウエンテイエイト》 無《む》限《げん》5《ファイブ》 セーラープルート
——冥《めい》王《おう》せつな
美《び》少《しょう》女《じょ》戦《せん》士《し》
セーラームーン

ザアー
ザアア
うーむ……
たしかにこのへん一帯《いったい》異常《いじょう》なデータはでているが
ちょっと飛躍《ひやく》しすぎじゃないか？冥王《めいおう》
空間《くうかん》がゆがんでいるなんて

そうですね
——わたし どうして そんなこと 思《おも》いついたのかしら なんとなく…… ふっと そんな気《き》がして
カチャ
カチャ
わからんな ここの空間《くうかん》の データは ほんとうに フシギな ピークを 描《えが》いている
この形《かたち》は いったい……
コン☆
カチャッ
せつな!
レイカさん
おそくまで たいへんね
まだ かかりそうなの? 夕《ゆう》ごはん いっしょに 食《た》べにいかない?
ごめんなさい 先生《せんせい》と さっき 食《た》べちゃった
なあんだあ☆

すごいなあ ミドリが こんなにいっぱい まこちゃんが 見《み》たら よろこびそうだな
だれよ 古幡《ふるはた》くん まこちゃんて！
ゲーセンに よくくる子《こ》だよ 十番中学《じゅうばんちゅうがく》の子《こ》 植物《しょくぶつ》が とっても 好《す》きな子《こ》 なんだ
ふうう～～～ん
やだなーっ
いーけどっ
あっ じゃ せつなちゃん またねっ
おジャマしました～っ
ええ
くすっ
ねっ？ キレイな子《こ》でしょ？ 冥王《めいおう》せつなちゃん きっと ウチの大学《だいがく》イチよ
うん！ ホントに！ おとなっぽくて ユーガで 知的美人《ちてきびじん》てカンジだよなっ
いててっ 彼女《かのじょ》 なんの研究《けんきゅう》 てつだってんの？
ぎゅうう
あの先生《せんせい》たしか 反重力《はんじゅうりょく》の研究《けんきゅう》で アメリカの 「フィジカル・レビュー レターズ」に のったよな
うーん 二人《ふたり》して あの三角洲《さんかくす》の あたりの空間《くうかん》が ヘンだとかいって 環境《かんきょう》をいっしょうけんめい 調《しら》べてるわよ
ガタン ガタン
有名《ゆーめー》な物理《ぶつり》せんもん誌らしい

レイカさん 三角洲《さんかくす》へ ごはん食《た》べに いこーよ あそこ おシャレな ビルや レストラン たくさん できたんだよ
…ぞくっ…
レイカさん？
あ…… ねえ べつの場所《ばしょ》に しない？
なんで？
だって…… 見《み》て 三角洲《さんかくす》のほう ヘンな黒《くろ》い雲《くも》が あんなに…… ちょっと こわいわ
ははっ レイカさんは こわがりだなー
かわいー♡
きっと 雨雲《あまぐも》だよ
このごろ ヘンな天気《てんき》 ばっかりね 梅雨《つゆ》は ちっとも 明《あ》けないし

ザァァァー
土萠研究所
バチバチ
また なりそこないの ダイモーンに 変化《へんか》したか
ちっ
教授《きょうじゅ》 そろそろ コンタクトの 時間《じかん》ですわ
そうか

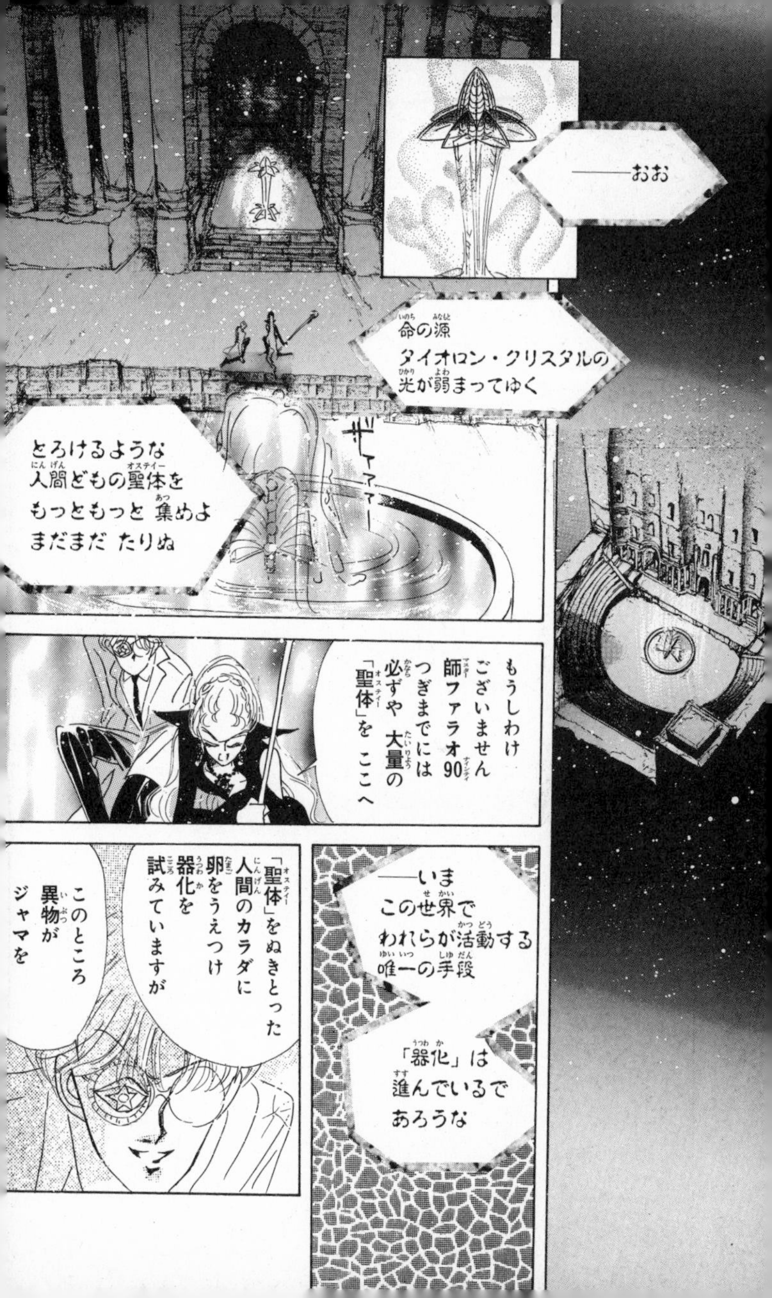
——おお
命《いのち》の源《みなもと》 タイオロン・クリスタルの 光《ひかり》が弱《よわ》まってゆく
ザァアァー
とろけるような 人間《にんげん》どもの聖体《オステイー》を もっともっと 集《あつ》めよ まだまだ たりぬ
もうしわけ ございません 師《マスター》ファラオ90《ナインティ》 つぎまでには 必《かなら》ずや 大量《たいりょう》の 「聖体《オステイー》」を ここへ
——いま この世界《せかい》で われらが活動《かつどう》する 唯一《ゆいいつ》の手段《しゅだん》
「器化《うつわか》」は 進《すす》んでいるで あろうな
「聖体《オステイー》」をぬきとった 人間《にんげん》のカラダに 卵《たまご》をうえつけ 器化《うつわか》を 試《こころ》みていますが
このところ 異物《いぶつ》が ジャマを

実験《じっけん》でも 90%《パーセント》が
先祖返《せんぞがえ》りとなる
すべてを
われらのような
完全体《かんぜんたい》とするには
まだ時間《じかん》が……
それに 貴重《きちよう》な
完全体《かんぜんたい》も
異物《いぶつ》セーラー戦士《せんし》が
つぎつぎ破滅《はめつ》を
異物《いぶつ》
セーラー戦士《せんし》
星《ほし》の守護《しゆご》をもつ
ものどもか
一刻《いつこく》も早《はや》く！
消去《しようきよ》せよ！
すべて
このわたしが
力《ちから》をとりもどし
「器化《うつわか》」を
行《おこな》うまでの
しんぼうだ
この地《ち》を
われらの
第《だい》2の母星《ぼせい》とするのだ
ジャマはさせぬ……！
必《かなら》ずや！
星《ほし》の守護《しゆご》の光《ひかり》を
もつもの
セーラー戦士《せんし》！
一刻《いつこく》も早《はや》く
消去《しようきよ》を！
ザァァ…
……ユラッ
——セーラームーン…
ダイモーンどもを
一瞬《いつしゆん》にして消《け》し去《さ》る
あの強烈《きようれつ》な光《ひかり》
なんという輝《かがや》き！
あれは
セーラームーンの
聖体《オステイー》なのか!?

人間《にんげん》どもの聖体《オステイー》などくらべものにならぬあのパワー
われらが命《いのち》の源《みなもと》――タイオロン・クリスタルに近《ちか》しい輝《かがや》き！
――だが
破滅《はめつ》を導《みちび》く不吉《ふきつ》な光《ひかり》が　そのそばに見《み》えかくれする……星《ほし》の守護《しゅご》の光《ひかり》の中《なか》に
めざめの時《とき》は近《ちか》い――
破滅《はめつ》を導《みちび》く光《ひかり》――三つの魔具《タリスマン》のことか星《ほし》の守護《しゅご》の光《ひかり》の中《なか》に!?
セーラームーンのあの輝《かがや》き――あの無限《むげん》の力《パワー》を一刻《いっこく》も早《はや》く　手《て》に入《い》れよわれらの復活《ふっかつ》のために！
われらに近《ちか》づく破滅《はめつ》など消《け》し去《さ》るのだ！
……キラッ
われらの手《て》でセーラー戦士《せんし》とこの世界《せかい》の人間《にんげん》どもを破滅《はめつ》に導《みちび》くのだククク……

師《マスター》は 異物《いぶつ》 セーラー戦士《せんし》が あらわれてから きげんがいいと見《み》える
ククッ
カツカツ
わたしの 苦労《くろう》も知《し》らずに かってなことを
セーラー戦士《せんし》の あのパワーの秘密《ひみつ》も 破滅《はめつ》を導《みちび》くタリスマンの 正体《しょうたい》も わたしの 水鏡《みずかがみ》では まったく つかめぬというに……
カオリナイト
セーラー戦士《せんし》…… やっかいなやつらめ……!
師《マスター》が望《のぞ》んで おられる 「聖体《オスティー》」を 大量《たいりょう》に 手《て》に入《い》れねば ならぬ
学園《がくえん》では フィジカル《体力》・クラス担当《たんとう》 植物園《しょくぶつえん》も まかされてましたわ
ビリユイのような 中途《ちゅうと》ハンパが あたしは いちばん キライですの
レベル404 このテルルが 極上《ごくじょう》の聖体《オスティー》を 手《て》に入《い》れましょう
師《マスター》ご所望《しょもう》の セーラー戦士《せんし》の 聖体《オスティー》を!
そして タイオロン・クリスタルに 近《ちか》しい力《ちから》を 手《て》に入《い》れて みせますわ!

十番小学校
みんな！廊下《ろうか》に展示《てんじ》した このあいだの図工《ずこう》の ねん土細工《どざいく》は ほかのクラスの みんなや 先生《せんせい》がたにも とっても好評《こうひょう》でした
展示《てんじ》がおわった 自分《じぶん》の作品《さくひん》 みんな 手《て》もとに もどったかな
はーいっ
さて！
今週《こんしゅう》の目標《もくひょう》は 「たいせつな人《ひと》に おくりものを しよう」です
みんなが作《つく》った 作品《さくひん》を たいせつな人《ひと》に プレゼント しましょう たとえば お父《とう》さん お母《かあ》さん 親友《しんゆう》に 日《ひ》ごろの カンシャをこめてね
そっかあ せっかく作《つく》ったのに 「伝説《でんせつ》の聖杯《せいはい》」 だれかに プレゼント しなきゃなんないのかぁ
つくって 「もらった」ん でしょっ!?
ももちゃん どーする？
ちょーど お母《かあ》さんの 誕生日《たんじょうび》なんだ プレゼントに しちゃう
しゃしん たてよっ

好《こう》評《ひょう》既《き》刊《かん》！

なかよしKC《ケーシー》

美少女戦士《びしょうじょせんし》セーラームーン1〜8 定価《ていか》(各《かく》)390円《えん》

アニメブックス

アニメのおもしろさをもういちど!!

美少女戦士《びしょうじょせんし》セーラームーン(全《ぜん》10巻《かん》)定価《ていか》(各《かく》)600円《えん》
美少女戦士《びしょうじょせんし》セーラームーンR《アール》1〜4 定価《ていか》(各《かく》)600円《えん》
美少女戦士《びしょうじょせんし》セーラームーンR《アール》5 11月《がつ》15日《にち》発売《はつばい》!!
映画《えいが》・美少女戦士《びしょうじょせんし》セーラームーンR《アール》 定価《ていか》850円《えん》

ゲームブックス

●スーパーファミコン
美少女戦士《びしょうじょせんし》セーラームーン 定価《ていか》780円《えん》
●スーパーファミコン
美少女戦士《びしょうじょせんし》セーラームーンR《アール》 定価《ていか》780円《えん》

アニメアルバム

●アニメのすべてを満載《まんさい》!!
美少女戦士《びしょうじょせんし》セーラームーンI・II
定価《ていか》(各《かく》)1200円《えん》
映画《えいが》・美少女戦士《びしょうじょせんし》セーラームーンR《アール》
メモリアルアルバム 定価《ていか》980円《えん》

★武内直子《たけうちなおこ》 美少女戦士《びしょうじょせんし》
セーラームーン原画集《げんがしゅう》1 2
定価《ていか》(各《かく》)1900円《えん》

●定価《ていか》はすべて税込《ぜいこ》みです。

ちびうさ！
やる！
ゴーン
セーラームーンのペン立《た》てだ！
すごーい 九助《きゅうすけ》
器用《きよう》ッ！
じっ
どうしてあたしにくれるの？
えっ？!!
えっとそれはっ……
おまえのこと悪友《あくゆう》ってみとめてるしな
友《とも》だちの しるしだよ
友《とも》だちのしるし……
……あたしは
ほたるちゃんにあげよっかな
ほたるちゃん？
最近《さいきん》知《し》りあった無限学園《むげんがくえん》のセンパイって人《ひと》？
そう！
あのねすっごくキレイで神秘的《しんぴてき》な人《ひと》なの！
…ふ ふーん
ちょっと しっと

サァァァー
六年《ねん》の
土萠《ともえ》さんよ
カバンもってるわ
また早退《そうたい》？
カラダ弱《よわ》いんでしょ？
あの人《ひと》って 一年《ねん》じゅう
長《なが》そでにタイツでしょ
なんか
クライ人《ひと》だよね
いつも
うつろーな
カオしてて
変《か》わりものって
有名《ゆうめい》だよ
あたりまえだよ
父親《ちちおや》が
変《か》わりものの
教授《きょうじゅ》
なんだから
あの人《ひと》
友《とも》だちって
いないんじゃない？
ドサッ
ガチャンッ
フラッ
はぁ
はぁ
スッ
ガシャッ

あーら
ごめんなさい
土萠《ともえ》ほたる先輩《せんぱい》
クスクス
ひろうの てつだいま しょうか？
―…
土萠《ともえ》先輩《せんぱい》？
…メキ
ギョッ
なっ…なに!? カンペンを にぎり つぶしたわよ!?
あの人《ひと》が あんなカオして ニラむなんて…
まるで 別人《べつじん》 みたいだった……!?

サァァァー
元気《げんき》ないなあ うさぎ 恋《こい》わずらいってよーなカオしちゃって
ばん
そんなんじゃ ……ないもん
もしかして……？
はるか
なんだこの ぼっとんぼっつラさっつ
まも
図星《ズボシ》？
………
……あたし はるかさんと みちるさんに
会《あ》いたい

二人が住《す》んでるとこさがしだそうよ
二人《ふたり》に会《あ》って話《はなし》がしたいの
同《おな》じ セーラー戦士《せんし》なのに
どうしてこんなケンカしてるみたいな状態《じょうたい》つづけなくちゃいけないのか
会《あ》ってききたいの！
キンコーン…
カンコーン…
あ いけねっ部活《ぶかつ》でなきゃ
きゃっあたしもっ
二人《ふたり》とも……
つめたい…
なるようにしかならないさうさぎ
あたしたちはいまできることを
とりあえずしたほうがいいわ
うさぎちゃん補習《ほしゅう》があったんじゃなかった？
ず～～ん
…そーでした
とぼとぼ

園芸部
まこちゃん先輩《せんぱい》がきてから花《か》だんも温室《おんしつ》も新《あたら》しい品種《ひんしゅ》ふえましたよね花《はな》もかならずさくようになったし
そっかあ？
まこちゃん先輩《せんぱい》の好《す》きな花《はな》ってなんですか？
さざんかだよ
さざんかといえば……やだなあ思《おも》い出《だ》しちゃう先輩《せんぱい》のこと……先輩《せんぱい》……
きーてない
まこちゃん先輩《せんぱい》の部屋《へや》って植物《しょくぶつ》だらけってホントなんですか？
うん でも最近《さいきん》みんな元気《げんき》ないんだよな観葉植物《かんようしょくぶつ》も花《はな》たちも
きゅうに暑《あつ》かったりさむかったりヘンな天気《てんき》がつづいてるせいかな
そういえば知《し》ってますか？いま すっごいはやってる観葉植物《かんようしょくぶつ》
テルルン

テルルン？なんだそりゃ
水《みず》をやらなくても育《そだ》つんです 空気中《くうきちゅう》の水《みず》をすいとって育《そだ》って木《き》 いま 大人気《だいにんき》なんですよ
無限植物園《むげんしょくぶつえん》に いっぱい 売《う》ってましたよ
あそこ めずらしい植物《しょくぶつ》が いっぱいあるんです 広《ひろ》いし
こんど 部《ぶ》でいきましょーよ
……ふーん
クラウン ゲームセンター
―思《おも》ったとおり 無限学園《むげんがくえん》は
敵《てき》 デス・バスターズが巣《す》くってたわね
敵《てき》のアジトになってるかもしれないワケか
学園《がくえん》の経営者《けいえいしゃ》がすでに敵《てき》とか？
土萠教授《ともえきょうじゅ》？
うーん
どの程度《ていど》の人《ひと》たちが敵《てき》に洗脳《せんのう》されてるかわからなかったけど
無限学園《むげんがくえん》は表《おもて》むきはふつうの学園《がくえん》よ ふつうの生徒《せいと》もいる
いまのままじゃ手《て》は出《だ》せないわ
ぐずぐずしてるとこのまま勢力《せいりょく》を拡大《かくだい》されるおそれもあるわね

ブラック・ムーンのときみたいに
知《し》らないうちに人《ひと》びとのあいだにどんどん敵《てき》がおくりこまれふえてくワケか
そりゃーヤバイわね!
カチャ カチャ
ルナ アルテミス あんたたちはなに調《しら》べてんの?
——三角洲《さんかくす》のあたりってまえからそうだったけど異常《いじょう》なエネルギー値《ち》がでてるのよね
とくに無限洲《むげんず》のあたりなんのデータをとってもおかしな値《あたい》ばかり……敵《てき》がなにをしてるのか……不安《ふあん》だわ
土萠教授《ともえきょうじゅ》かあ なーんかうさんくさいカオしてるじゃないのっ
フーンッ
カチャ カチャ
土萠創一教授
土萠研究所所長
専門　遺伝子工学
現在　無限学園オーナー
土萠研究所在住
専門《せんもん》は遺伝子工学《いでんしこうがく》 無限学園《むげんがくえん》オーナー 土萠研究所《ともえけんきゅうじょ》 在住《ざいじゅう》
へぇ
ムスメがひとりいるって!
パソコンだってつかえるよーになったもーんっ
カチャ カチャ
土萠ほたる
無限学園初等部6年
19XX年1月6日　AB型
パッ
土萠《ともえ》ほたる? この子《こ》は
まえに ちびうさと助《たす》けた あの フシギな子《こ》 ほたるちゃん?

ザァァアー
え———!? ちびうさってば ほたるちゃんと 仲《なか》よくなったって いってたよね 家《いえ》にも あそびに いったことあるって だいじょうぶなのっ!?
フラワーショップ
MAMIANA
テルルン入荷
あ まって
フラワーショップ
MAMIANA
テルルン入荷
これだわ 水《みず》がなくても 育《そだ》つ植物《しょくぶつ》 テルルン 無限植物園《むげんしょくぶつえん》から でまわってるのか?
テルルン
それね いま すごく 売《う》れてる木《き》よ ラクですよー お水《みず》 いっさい あげなくて いーの
一週間《しゅうかん》で とてもキレイな いーニオイの ピンクの花《はな》つけますよ
まこちゃん ホントに 植物《しょくぶつ》 好《す》きなのねー
ちょっと 気《き》になるんだよ コレ 見《み》たことない 品種《ひんしゅ》だし

ただいまー
ザァ
月野
あれっ? ちびうさ どこいくの?
ほたるちゃんち
!!
あたしも いっしょに いく!
えーーっ!?
だって あんた! この雨《あめ》の中《なか》 外《そと》もう まっくらよ!
いっしょに いくわよ!
ザァー
ザァー
土萠研究所
ちょ ちょっと ちびうさっ こんな かってに 入《はい》っちゃって アンタッ
だって インターホン 見《み》つかんないし
ヘーキ ヘーキ
こんにちはー
ザーッ
ザワッ
スラッ

この研究所《けんきゅうじょ》に なんの用《よう》？
不法《ふほう》侵入者《しんにゅうしゃ》の おふたりさん
その人《ひと》たちは あたしの お客《きゃく》さまよ カオリさん！
ほたるちゃん！
めずらしいわね あの子《こ》に 客《きゃく》なんて
どうしたの？ きょうは おふたりで あたしに なんの 用《よう》かしら
あのね
学校《がっこう》の図工《ずこう》で これ 作《つく》ったの
ほたるちゃんに プレゼント しようと 思《おも》って
トン
あ〜〜っっ
ちびうさっっ あんた それはっっっ
あたしと まもちゃんが あーんなに 苦労《くろう》して 作《つく》った 「聖杯《せいはい》」!!

今週《こんしゅう》「たいせつな人《ひと》に おくりものをしよう」週間《しゅうかん》なの あたしの友《とも》だちは ママに あげたけど
あたしは なんとなく 友《とも》だちの しるしに ほたるちゃんに プレゼントするのが いーかなーと 思《おも》って
エヘヘッ♡
ふーん いーけど あんた それ まもちゃんに プレゼントしなくて
だって うさぎと まもちゃん 両方《りょうほう》に てつだってもらって まもちゃんだけに あげたら 不公平《ふこうへい》じゃん
ちびうさちゃん たいせつな人《ひと》に 作《つく》って もらったんでしょう?
それは あたしが もつべきものじゃ ないわ
あなたたちの 手《て》もとに おいて おかなくちゃ

ありがとう ちびうさちゃん
——すいこまれそうな 黒《くろ》く 深《ふか》い目《め》……
——まるで なんでも 知《し》って いそうな……
ドキン
そわ そわ
……
!!
あの ちょっと
おトイレ かりても いい?
ろうかの つきあたりよ
ありがと♡
ほたるちゃん!?
ガクン!

はあ
はあ
発作《ほっさ》の回数《かいすう》が多《おお》くなってる
——だれかがアタマの中《なか》でよぶ声《こえ》がする……
きょうも学園《がくえん》でこんなふうに気《き》が遠《とお》くなって
そのあとの記憶《きおく》が……
ほたるちゃん!?
はあ
はあっ
——……
スッ
ドキッ
ああ……

ちびうさちゃんのアミュレットにふれていると気分《きぶん》がどんどんよくなる力《ちから》がわいてくるわ
ホント?
わたしのアミュレットの何《なん》百倍《ばい》ものパワーだわ
これはなに?なんの力《ちから》なの?
――「幻《まぼろし》の銀《ぎん》水《ずい》晶《しょう》」よ
まぼろしのぎんずいしょう…
はっ
ほたるちゃん?

ばっ
──なに!?
いまのは!?
──いま
むしょうに
ちびうさちゃんの
アミュレットが
ほしくなった……
ドクン
ドクン
──どうして!?
──いま
まるで
あたしの中《なか》の
だれかが……
しゃべったみたいだった
「幻《まぼろし》の
銀水晶《ぎんずいしょう》──」
──?

ジャーーーッ
ふきふき
この研究所《けんきゅうじょ》の すぐウラが 無限学園《むげんがくえん》か
ここにも 亜美《あみ》ちゃんが いってたような 動物実験室《どうぶつじっけんしつ》が ゼッタイ あるハズだわ
ほたるちゃんを 助《たす》けたとき 怪物《かいぶつ》は この研究所《けんきゅうじょ》から あらわれたんだもん
しかし この研究所《けんきゅうじょ》 ナンの研究《けんきゅう》 してんのかしら
キョロ
キョロ
ヒヤリッ
ひっ
ひっっ
なにを さがして いるんだね？
あっあっ ええ～とっっ
どっきーん

ほ ほ ほたるちゃんの部屋《へや》さがして まよっちゃってって
ああ ほたるの お友《とも》だちですか
ほたる
パパ
カチャ
検診《けんしん》の時間《じかん》だよ
あっ じゃあ
あたしたち これでっ
バイバーイ またね
あれが 土萠教授《ともえきょうじゅ》
氷《こおり》みたいな かたくて つめたい手《て》だった
まるで 人間《にんげん》の 手《て》じゃないみたいな……
ざわ ざわ

きょーは はやくねよ
コワかった
プアー
パパー
ザワ
ザワ
ドキン
あれは……
ちびうさ？
はっ
いない……！
ざわ
ざわ

まさか……
ドクン
……ぎゅ
まさか……
こんなとこ歩《ある》いてるワケないのに……
ドクン
ドクン
わ〜〜〜まこちゃんちすっごくひさしぶり！
またグリーンがふえた？
でも みんなイマイチ元気《げんき》なくて雨《あめ》がつづいたせいかな
カードがついてるぞ
「テルルン」品種改良《ひんしゅかいりょう》照野留々《てるのるる》無限学園《むげんがくえん》責任者《せきにんしゃ》か
ふーんっ
ふっあっ
……なんかねむくなっちゃった
そうねなんかつかれて……

……いいニオイがする……
……息苦《いきぐる》しい……
〝まこちゃん〟
〝まこちゃん〟
〝花《はな》がさいたよ……〟
……だれ？
……二梃木《にちょうぎ》センパイ……？
まこちゃんてば
やさやさ
ぱちっ
……ん？
なんだみなちゃんかくすんっ
……なんだかだるいな
ふうっ
まこちゃん見《み》て！ コレ！
え!? テルルンがもう つぼみをつけてる!? バカな！
まこちゃん！ まわりの植物《しょくぶつ》がっっ たいへんっっ

みんなしおれてる!?
まこちゃん!?
!?
これは——!?
無限洲駅　入口
ざわ　ざわ
無限洲
出口
ふーん
三角洲《さんかくす》って
三つの
うめたて地《ち》が
こんなふうに
つながってるのね

天王洲
海王洲《かいおうず》……
天王洲
無限洲
海王洲
冥王洲
はるかさんと みちるさんの 名字《みょうじ》と おんなじ……
うさぎ!? ちびうさ!?
まこちゃん! みんな! どうしたの? どこいくの?
無限植物園《むげんしょくぶつえん》! 敵《てき》だ!
敵《てき》!?
はっ
ざわ ざわ

はるかさん！みちるさん!?
!!
まって！
うさぎ！
どうして逃《に》げるの？はるかさん！
あたしたちと会《あ》いたくないの!?
ハァ ハァ
……天王洲《てんのうず》でいちばん大《おお》きなビル……
天王洲 コンドミニアム タワー
天王洲 Condominium Tow

おんなじ港区《みなとく》に……こんな近《ちか》くに住《す》んでたんだ……
1127
天王はるか
はるかさん？
おんなじセーラー戦士《せんし》なのに
どうしていっしょに戦《たたか》えないの？
どうしてなんにもいってくれないの？

うさぎ……
あたしたちが いま しなくちゃ いけないことは 敵《てき》の手《て》が ひろがるのを くい止《と》める ことだよ
な？
ザ!!
——無限洲《むげんず》
ここは いつも 風《かぜ》が強《つよ》いな
——ここへ くると
カラダが ピリピリ するわ
——ただならぬ 妖気《ようき》——！
このまえより ずっと強《つよ》い！

無限植物園
——まるでジャングルだな
見《み》て！
人《ひと》がたおれてるわ!!
——一面《いちめん》のピンクの花《はな》——！
——このあまい毒《どく》の香《かお》り——
テルルンの花《はな》!?
力《ちから》が
ぬけてく……！
うっ
ガク
フラ
——うふふ
なんて極上《ごくじょう》の
生命《せいめい》エネルギー

おまえは!?
星《ほし》の守護《しゅご》をもつもの
セーラー戦士《せんし》みずから
くらいついてくるなんて
なんてラッキー♡
うふふ テルルンは
このテルルの分身《ぶんしん》
生命《せいめい》エネルギーを
すいとり
美《うつく》しくさく花《はな》
く……
人間《にんげん》の
生命《せいめい》エネルギーの
塊《かたまり》「聖体《オスティー》」を
とりこんだ
この花《はな》をささげれば
師《マスター》も よろこんで
あたしを力オリナイトと
同《おな》じ秘術師《マグス》として
むかえてくださるわ!
理学部

——う……
!?
はっ
ドクン
海王洲Condominium Tower
1306
海王みちる
はっ
!?
——だれかが くるしんでる
だれ？
ドクン
わたしたちに とても 近《ちか》い者《もの》——
ドクン

――わたしたちの仲間《なかま》――!?

くるしい……
はあ
はあ
力《ちから》が どんどん なくなってゆく……
たすけて…… だれか
わたしは このまま 死《し》ぬの!?
――いいえ まだ 死《し》ねない――
わたしが生《う》まれてきた 意味《いみ》を
生《う》まれかわってきた 意味《いみ》を

——目《め》覚《ざ》めよ
アッ
…アッ

――時《とき》は　きたれり――
!?
――なんだ
これは!?

——いま どこかで
なにかが めざめた!?
みんな!
変身《へんしん》よ!
ムーン・コズミック
パワー——
ムーン・プリズム
パワー——
メイク
アップ!!

愛《あい》と正義《せいぎ》の星《ほし》月《つき》を守護《しゅご》にもつ神秘《しんぴ》の戦士《せんし》セーラームーン
そしてセーラーちびムーン参上《さんじょう》！
正体《しょうたい》を現《あらわ》したね！星《ほし》の守護《しゅご》をもつものセーラー戦士《せんし》たち！
レベル404このテルルがその聖体《オスティー》そしてタイオロン・クリスタルに近《ちか》しいその力《パワー》もらったわ！

(掲載《けいさい》＝「なかよし」1994年《ねん》4月号《がつごう》～7月号《がつごう》)

おまえたちのカラダなぞこなごなにして肥料《ひりょう》につかってやる！
マンドラゴラバスター――!!
ジュピターココナッツサイクロン！
ムーン・スパイラルハートアタ――ック!!

うふふ なんと
極上《ごくじょう》のパワー!
どうした
これしきの
攻撃《こうげき》か!
!?
そんな!!
まよっていてはダメ
あたしは
全力《ぜんりょく》を出《だ》して
目《め》のまえの敵《てき》を
たおさなきゃ
でも……
ウラヌス
ネプチューン――!
セーラームーン……
あたしも
力《ちから》がほしい!
武器《ぶき》がほしい!

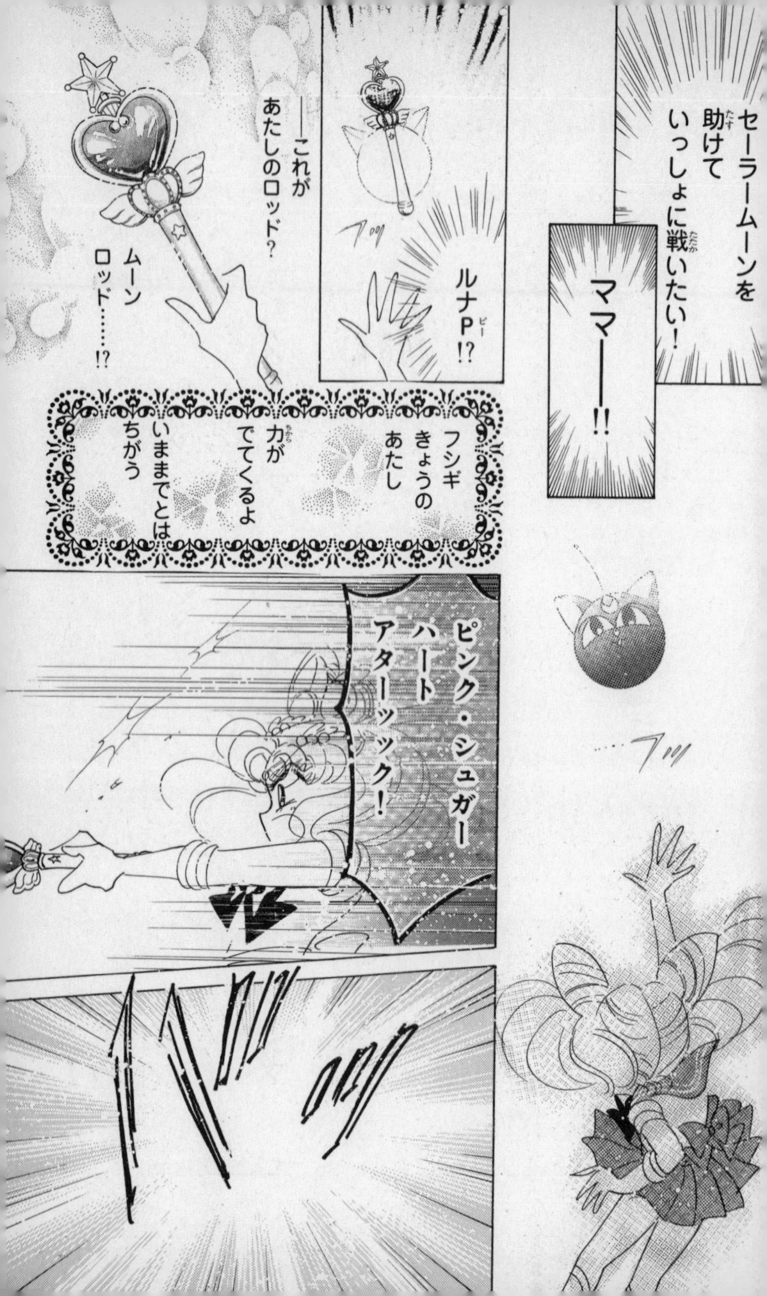
セーラームーンを
助《たす》けて
いっしょに戦《たたか》いたい!
ママ——!!
……フッ
ルナP《ピー》!?
フッ
——これが
あたしのロッド?
ムーン
ロッド……!?
フシギ
きょうの
あたし
力《ちから》が
でてくるよ
いままでとは
ちがう
ピンク・シュガー
ハート
アターック!

ヴアアア
ちびムーン！
破滅喘鳴《デッド・スクリーム》!!
ギア゛アアアア‥

その低《ひく》い声《こえ》……
その技《わざ》は……
…サラッ

第9巻につづく

ぐう
サイン会でも大人気《ダイニンキ》ッ!
タントー
おさぶちゃんの
お・へ・や♡
ショーゲキの⑨巻予告《かんよこく》ッ!!
よくねる
オサブナイトと
みすとれすおさブの
出現《しゅつげん》に
セーラールナP
ピーンチッッ!!
あぶない!
セーラールナP!!
スーパー!
オサブナイト
みすとれすおエブ
つづく
注《ちゅう》.会社《がいしゃ》
ジャーン
ジャン・ジャン
ギターなんかひいて
うたってる
場合《ばあい》じゃ
ないぞ
…おさぶ♪タントーのクセに
こんなイラストばっかし
FAXしてくるんだから♪
ケッサク
イラストは
山梨の美苗ちゃん
でした♡
サイコー
ぶ
下からみたルナP?
よこガオ
おさBUさん
よこガオ…♪
★⑨巻《かん》でまたあいましょーね♡ あいことばは"クライシス・メイク・アップ!"よっ♡

高瀬《たかせ》　綾《りょう》シリーズ

ひよこ時計《どけい》PiPiPi《ビビビ》　全《ぜん》1巻《かん》
ぶらっでぃ・まりー　全《ぜん》1巻《かん》
オレンジポケット　全《ぜん》1巻《かん》
流《なが》れ星《ぼし》ロマンス　全《ぜん》1巻《かん》
バレンタイン参観日《さんかんび》　全《ぜん》1巻《かん》
聖《セント》ルームメート　全《ぜん》1巻《かん》
くるみと七人《にん》のこびとたち①〜④巻《かん》

片岡《かたおか》みちるシリーズ

トゥインクルきゃっと　全《ぜん》2巻《かん》
月《つき》うさぎ たまご姫《ひめ》　全《ぜん》1巻《かん》
わんだー・わーるど　全《ぜん》2巻《かん》
うしろのはてな　全《ぜん》1巻《かん》
しましましっぽ　全《ぜん》1巻《かん》

あゆみゆいシリーズ

ときめきの法則《ほうそく》　全《ぜん》1巻《かん》
時計《とけい》じかけのエトランゼ　全《ぜん》1巻《かん》
えんじぇる♡まじっく　全《ぜん》1巻《かん》
うぇるかむ!　全《ぜん》2巻《かん》
卒《そつ》　業《ぎょう》―泣《な》かないで―　全《ぜん》1巻《かん》
太陽《たいよう》にスマッシュ!　全《ぜん》2巻《かん》
ようこそ! 微笑寮《ほほえみりょう》へ　①巻《かん》

早稲田《わせだ》ちえシリーズ

家族《かぞく》のモンダイ　全《ぜん》1巻《かん》
好《す》きっていわない!　全《ぜん》1巻《かん》
神《かみ》さまのいない日《ひ》　全《ぜん》1巻《かん》

竹田真理子《たけだまりこ》シリーズ

たんぽぽのティアラ　全《ぜん》1巻《かん》

あべゆりこシリーズ

わんころべえ　全《ぜん》1巻《かん》

あなだ♠もあシリーズ

すずめのチュンちゃん　全《ぜん》1巻《かん》

なかの弥生《やよい》シリーズ

くせになりそう♡　全《ぜん》1巻《かん》
(超)《ちょう》くせになりそう♡　①②巻《かん》

武内直子《たけうちなおこ》シリーズ

チョコレート・クリスマス　全《ぜん》1巻《かん》
ま・り・あ　全《ぜん》1巻《かん》
The《ザ》チェリー・プロジェクト　全《ぜん》3巻《かん》
ミス・レイン　全《ぜん》1巻《かん》
美少女戦士《びしょうじょせんし》セーラームーン①〜⑧巻《かん》

いがらしゆみこシリーズ

キャンディ♡キャンディ　全《ぜん》9巻《かん》

松本洋子《まつもとようこ》シリーズ

黒《くろ》の輪舞《ロンド》　全《ぜん》1巻《かん》
黒《くろ》の組曲《くみきょく》　全《ぜん》1巻《かん》
黒《くろ》の迷宮《めいきゅう》　全《ぜん》1巻《かん》
ばらの葬列《そうれつ》　全《ぜん》1巻《かん》
ぬすまれた放課後《ほうかご》　全《ぜん》2巻《かん》
呪《のろ》いの黒十字《くろじゅうじ》　全《ぜん》2巻《かん》
見《み》えないシルエット　全《ぜん》1巻《かん》
見知《みし》らぬ街《まち》　全《ぜん》1巻《かん》
怪奇博物館《かいきはくぶつかん》　全《ぜん》1巻《かん》
すくらんぶる同盟《どうめい》　全《ぜん》7巻《かん》
見《み》えない顔《かお》　全《ぜん》2巻《かん》
殺意《さつい》のメッセージ　全《ぜん》2巻《かん》
魔《ま》　物《もの》　語《がたり》　全《ぜん》1巻《かん》
死《し》を唄《うた》う星座《せいざ》　全《ぜん》1巻《かん》
闇《やみ》は集《つど》う　①巻《かん》

竹本《たけもと》　泉《いずみ》シリーズ

パイナップルみたい　全《ぜん》1巻《かん》
ちょっとコマーシャル　全《ぜん》1巻《かん》
ひまわりえのぐ　全《ぜん》1巻《かん》

池田《いけだ》　貢《みつぐ》シリーズ

シュビドゥバ家族《かぞく》　全《ぜん》1巻《かん》

たておか夏希《なつき》シリーズ

グラデーション　全《ぜん》1巻《かん》
砂《すな》にかいたテレフォンナンバー　全《ぜん》1巻《かん》

高階良子《たかしなりょうこ》シリーズ

死者《デス》の狩人《かりゅうど》　全《ぜん》1巻《かん》

♥「KC《ケーシー》なかよし」は、「なかよし」に掲載《けいさい》された作品《さくひん》を中心《ちゅうしん》に、すぐれた作品《さくひん》をえらんで、つぎつぎにおおくりします。

♥いままであなたがお読《よ》みになった少女《しょうじょ》まんがの中《なか》で、いちばん印象《いんしょう》にのこっている作品《さくひん》、もう一どまとめて読《よ》みたい作品《さくひん》がありましたら、おしらせくださいませんか。

♥また、この本《ほん》を読《よ》んだご感想《かんそう》・ご意見《いけん》などもおきかせねがえれば、たいへんうれしく思《おも》います。

＝あて先《さき》＝

東京都文京区音羽二丁目十二番二十一号
〈郵便番号一一二―〇一〉
講談社　なかよし編集部
「KCなかよし」係

N.D.C　726　　213P　　18cm

講談社コミックスなかよし　七九〇巻

美少女戦士《びしょうじょせんし》セーラームーン⑧

1994年11月2日　第1刷発行
（定価はカバーに表示してあります）

著者　武《たけ》内《うち》直《なお》子《こ》
発行者　三樹創作
発行所　株式会社　講談社
東京都文京区音羽二―一二―二一
（郵便番号一一二―〇一）
〈電話〉
編集部　東京03（五三九五）三四八〇
KC販売部　東京03（五三九五）三六〇八
印刷所　廣済堂印刷株式会社
製本所　株式会社　国宝社

落丁本・乱丁本は、小社雑誌業務部宛にお送りください。送料小社負担にてお取替します。なお、この本についてのお問い合わせは、なかよし編集部宛にお願いいたします。

ISBN4-06-178790-X　（な）　Printed in Japan